LE LIVRE
DES
ÉTOILES

Erik L'Homme

Le Livre
des Étoiles
III. Le Visage de l'Ombre

GALLIMARD JEUNESSE

Cartes conçues par Vincent Brunot
© Éditions Gallimard Jeunesse, 2003

NORD

GIFDU

BROMOTUL

PORTES
DES
DEUX MONDES

LANDE

BOULÉAGANT

DES

LANDE TOURMENTÉE

MONTAGNE POURPRE

DASHTIKAZAR

TROÏL

L'ACADÉMIE
DE MUSIQUE

FORÊT
DE
TANTREVAL

FORÊT DE PAIMPEROL

KORRIGANS

BOUNIC

VIEILLE CHAUSSÉE

KRAKAL

LANDE
AMÈRE

MONTAGNES
DORÉES

GRI

LE PAYS D'YS

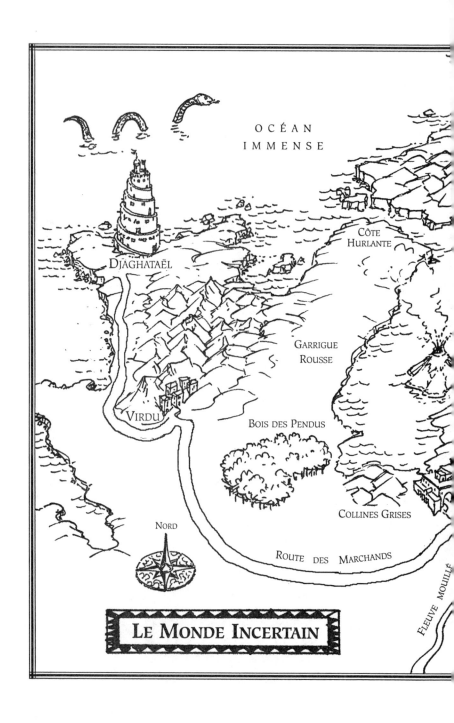

OCÉAN
IMMENSE

CÔTE
HURLANTE

DJAGHATAËL

GARRIGUE
ROUSSE

VIRDU

BOIS DES PENDUS

COLLINES GRISES

NORD

ROUTE DES MARCHANDS

FLEUVE MOUILLÉ

LE MONDE INCERTAIN

NORD
INCERTAIN

IRTYCH
VIOLET

LE PORTE DU MONDE

MER
DES
GRANDS VENTS

ER
ES
URES

FERGHÂNÂ

ROUTE

COLLINES
MOUVANTES

ÉNIBOHOR

DE

PIERRE

PRAIRIE DU SPHINX
À DEUX TÊTES

RIVIÈRE

TRISTE

DÉSERT

VORACE

YÂDIGÂR

à ma mère, son sourire,
à mon père, son regard.

à Coline, Yoann et Lison, sur leur île,
à Anaïs, Juliette et Lorraine, sur la Toile.

Avant de commencer...

Guillemot de Troïl est un enfant originaire du Pays d'Ys, terre isolée entre le Monde Certain et le Monde Incertain, où se côtoient, entre ordinateurs et salles de cinéma, chevaliers en armures et sorciers aux pouvoirs étonnants.

Le jour où Maître Qadehar, le plus fameux Sorcier de la Guilde, découvre chez Guillemot des prédispositions pour la magie, le destin du jeune garçon bascule.

Devenu Apprenti Sorcier, Guillemot découvre la magie des Graphèmes qui a été révélée à la Guilde par Le Livre des Étoiles, avant que cet ouvrage ne soit volé par Yorwan, un jeune sorcier. Mais Guillemot se rend compte que l'Ombre, puissance démoniaque et malfaisante vivant dans le Monde Incertain, cherche à l'enlever pour une raison qu'il ignore...

Lorsqu'Agathe est enlevée à sa place, Guillemot n'hésite pas à s'introduire dans ce monde terrible. Il doit faire appel à toute sa magie balbutiante pour lui porter secours.

Il emmène dans cette traversée périlleuse ses amis de toujours, Ambre, Gontrand, Romaric et Coralie. Mais une erreur dans la formulation d'un sortilège sépare les cinq amis, et les entraîne chacun dans des aventures extraordinaires, jonchées de pièges, à travers un monde peuplé de personnages étonnants.

C'est dans les geôles du commandant Thunku, chef des brigands de Yâdigâr, que Guillemot retrouve ses amis, et Agathe. Grâce à l'intervention de Maître Qadehar, les sept jeunes gens parviennent à s'évader et rentrent sains et saufs au Pays d'Ys.

Pour tenter d'y voir plus clair, la Guilde, alertée, décide de conduire une action dans le Monde Incertain. Mais les Sorciers, menés par Qadehar, tombent dans une embuscade. Pendant ce temps, un homme mystérieux, le Seigneur Sha, pénètre dans le monastère de la Guilde et se lance à la poursuite de Guillemot. Il s'agit de Yorwan, le voleur du Livre des Étoiles, *en quête d'un fils disparu! Mais Guillemot n'est pas celui qu'il cherche...*

Maître Qadehar est condamné par un tribunal de Sorciers qui le rend responsable de l'échec de l'expédition. Grâce à l'aide de son ami Gérald, il s'enfuit, persuadé que la Guilde abrite un traître à la solde de l'Ombre. Mais, avant d'aller mener sa propre enquête dans le Monde Incertain, il obtient de Bertram, un jeune Sorcier, de veiller sur Guillemot.

À l'issue d'un bal donné à Dashtikazar, Ambre la fougueuse s'en prend à Agathe et, talonnée par ses amis inquiets, la poursuit jusque sur la lande. Ils sont tous attaqués et capturés par des Korrigans bien décidés à les livrer à l'Ombre. C'est finalement grâce à la ruse de Guillemot et au sang-froid de Bertram qu'ils parviennent à se libérer!

Peu après, à l'occasion d'un rendez-vous dans le monde réel, le Seigneur Sha révèle à Guillemot que Le Livre des Étoiles, *qu'il était en vérité chargé de protéger, vient de lui être volé. Guillemot décide de confier l'histoire à Qadehar, et de se rendre pour cela dans le Monde Incertain, accompagné du seul Bertram... Le Seigneur Sha confirme également à Guillemot qu'il n'est pas son père, même s'il a aimé Alicia.*

Guillemot rentre à Ys plus désemparé que jamais...

1
ULTIMATUM

La cité de Yénibohor, aux imposantes murailles surplombant la Mer des Brûlures, était comme chaque jour en proie à une grande agitation.

Un petit groupe de prêtres, reconnaissables à leur crâne rasé et à leur tunique blanche, encadraient des jeunes gens qui marchaient, tête baissée, en direction des bâtiments où on leur enseignait le culte de Bohor, divinité maléfique régnant dans l'Obscurité.

Un peu plus loin, des Orks portant le blason de Yâdigâr, ville de brigands et de mercenaires, recevaient des mains d'un prêtre une bourse de pierres précieuses en paiement d'une embuscade qu'ils avaient tendue pour le compte de la cité.

Des cris et des gémissements d'innombrables prisonniers enfermés dans les sous-sols montaient par les soupiraux ouvrant sur la rue. C'était, pour la plupart, de pauvres gens qui avaient commis l'erreur de s'opposer aux prêtres... Yénibohor faisait régner la terreur dans le Monde Incertain.

Ces hommes en tunique blanche, ces étudiants, ces Orks, ces prisonniers, avaient tous quelque chose en commun : la même peur les traversait chaque fois qu'ils portaient leurs regards sur la tour dominant la cité ! La tour qui abritait le Grand Prêtre du culte de Bohor, le Maître des ténèbres...

Au sommet de l'imposant donjon qui lui tenait lieu de repaire, la silhouette familière de l'Ombre arpentait le sol dallé d'un laboratoire rempli de livres et d'instruments. Elle était furieuse.

Le scribe Lomgo, qui tenait toujours à la main la missive annonçant la mauvaise nouvelle, n'en menait pas large. Il s'était recroquevillé contre le mur et se faisait le plus petit possible ; il observait avec effroi son maître s'agiter et les débris d'ombre qu'il semait se consumer au contact de la pierre dans une affreuse odeur de brûlé.

Tout à coup, l'Ombre fit volte-face et lança un regard de braise sur le scribe qui se recroquevilla un peu plus :

– Échappé... Ces maudits Korrigans l'ont laissé échapper... Gnomes stupides... Incapables... Traîtres... Ma vengeance sera terrible...

L'Ombre gémit et leva les bras au ciel.

– Si près, si près du but... J'ai le grimoire... il ne me manque que l'enfant... Je ne peux plus attendre... Il faut le ramener... Lomgo...

– Oui, Maître ! répondit l'homme en se jetant au sol, comme s'il voulait implorer la clémence du démon.

– Je veux que mes serviteurs les plus fidèles... sortent de l'ombre... Je veux l'enfant... à n'importe quel prix... Écris-leur... Je veux l'enfant ici... dans deux jours... pas un de plus... Sous peine de voir ma colère se déchaîner contre eux...

Le scribe se redressa en tremblant, et courut à petits pas précipités vers son écritoire.

Derrière lui, la silhouette au manteau de ténèbres s'efforça de retrouver son calme. Elle se dirigea vers une table sur laquelle était posé un grand livre à la couverture de cuir noir piquetée d'étoiles. Elle tourna une page jaunie par le temps, et se plongea dans l'étude d'un sortilège compliqué.

2
L'HEURE DU COQ

Guillemot dormait profondément lorsque sa mère ouvrit la porte de sa chambre. Les premières lueurs du jour commençaient à répandre une douce clarté dans la pièce. Alicia regarda avec tendresse son fils endormi. Il paraissait si petit, si fragile, ainsi blotti dans son lit! Soudain, elle eut du mal à croire qu'il avait réalisé les exploits qu'on lui attribuait. Elle frissonna en imaginant les monstres et les brutes sanguinaires qu'il avait dû affronter dans le Monde Incertain.

Tout à coup, elle sentit tout le poids de sa solitude. Oui, c'était cela le plus difficile, finalement: n'avoir personne sur qui s'appuyer, personne qui vienne la rassurer ou la réconforter. Et puis elle devait être forte, toujours. Ou du moins en avoir l'air…

Elle avança de quelques pas et soupira. Elle aurait beau essayer d'être la meilleure mère du monde, se dit-elle, jamais elle ne remplacerait l'homme qui manquait dans cette maison, et dont ils auraient eu besoin tous les deux! Yorwan… Mais que lui était-il passé par la tête? Qu'est-ce qui lui avait pris de disparaître, sans raison, quelques jours seulement avant leur mariage? Ils étaient tellement heureux, ensemble, si amoureux l'un de l'autre! Yorwan ne cessait de lui répéter qu'il l'aimait, et elle voyait bien dans ses yeux qu'il ne mentait pas. Quelque chose avait dû se produire. Quelque chose s'était passé, qui avait obligé Yorwan à fuir et à l'abandonner. Elle en était intimement persuadée, contrairement à Urien, son frère, qui avait interprété cette disparition soudaine comme la réaction d'un lâche au moment de s'engager dans le mariage. Et le vol du livre sacré de la Guilde n'avait pas arrangé les choses...

Elle s'assit sur le bord du lit et caressa la joue de Guillemot encore endormi. C'était lui, en définitive, qui payait le plus cher toutes ces confusions du passé. Elle joua un moment avec les mèches de ses cheveux châtains. Puis elle l'embrassa. Guillemot marmonna, mais ne se réveilla pas. Elle le secoua doucement par l'épaule.

– Guillemot, mon chéri... c'est l'heure de te lever.

– Hum, grogna-t-il en s'efforçant d'ouvrir les yeux. C'est toi, m'man ?

– Qui veux-tu que ce soit ? demanda Alicia en l'ébouriffant.

– Arrête ! dit-il en se réfugiant sous la couette. Laisse-moi dormir encore un peu !

– Ce n'est pas possible, Guillemot. Le jour se lève, et ton ami Bertram t'attend déjà en bas.

– Bertram ? s'étonna-t-il en glissant sa tête échevelée hors de la couette. Il est déjà là ? Mais on avait rendez-vous à midi !

– Il faut croire qu'il était pressé de te voir. Je me demande ce que vous êtes encore en train de comploter. Allez, dépêche-toi maintenant !

Alicia se leva, ouvrit la fenêtre pour laisser l'air vivifiant entrer dans la pièce et sortit.

Guillemot grommela. Il avait pourtant bien donné rendez-vous à Bertram à midi, lors de leur conversation mentale, la veille, près du dolmen ! Bertram avait dû marcher une grande partie de la nuit pour arriver si tôt. La perspective de se rendre dans le Monde Incertain devait drôlement l'exciter ! Enfin, il était là, et Guillemot n'avait pas de temps à perdre. Il bondit sur ses pieds et fonça dans la salle de bains.

Quelques minutes plus tard, habillé de pied en cap et muni de sa précieuse sacoche d'Apprenti Sorcier, il rejoignit Bertram dans la cuisine.

– Salut, Bertram ! Tu es matinal, dis donc… C'est l'heure du coq !

– Bonjour, Guillemot, répondit le jeune Sorcier en lui serrant la main. Les jours raccourcissent de plus en plus, alors je me suis dit qu'il valait mieux se dépêcher…

Bertram, du haut de ses seize ans, semblait regarder tout le monde avec condescendance. C'était un genre qu'il se donnait, bien sûr, mais qui, dans certaines circonstances, avait quelque chose d'horripilant… Ses cheveux couleur de miel, mi-longs, étaient plaqués en arrière. Il avait les yeux marron et, sur le menton et au-dessus de la lèvre supérieure, quelques poils s'efforçaient tant bien que mal de former une barbiche et une moustache.

– Vous allez prendre quelques minutes sur votre temps précieux pour avaler un solide petit déjeuner ! déclara Alicia d'un ton qui n'admettait pas de réplique.

Les deux amis ne se firent pas prier et dévorèrent leurs tartines. Une fois leur bol de chocolat terminé, ils se levèrent de table.

– On va faire un tour à Dashtikazar, annonça Guillemot à sa mère. À ce soir !

– Tu ne rentres pas déjeuner à la maison ?

– Non, on mangera un sandwich chez le père Anselme.

Alicia n'insista pas. Elle avait prévu de monter à cheval ce matin-là, et pourrait sans remords prolonger sa balade jusque dans l'après-midi. Elle répondit d'un geste affectueux aux deux garçons qui lui dirent au revoir d'un signe de la main.

– Raconte-moi tout, maintenant, commença Bertram dès qu'ils furent seuls.

– Je t'ai déjà tout raconté, répondit Guillemot. Je dois absolument communiquer à Maître Qadehar une information capitale. Et le plus tôt sera le mieux !

– Et c'est quoi, cette information capitale ? Tu ne peux pas me la dire ?

– Ne m'en veux pas, mais j'en réserve la primeur à mon Maître.

Bertram n'insista pas et se mit à siffloter. Guillemot trouva son attitude étrange. D'habitude, Bertram l'aurait embêté jusqu'à ce qu'il lui cède quelques miettes de son secret ! Ce matin-là, non seulement il n'insistait pas, mais il n'avait même pas l'air de bouder…

– Comment allons-nous nous rendre dans le Monde Incertain ? questionna Bertram.

– Par le *Galdr* du Désert. Ça nous évitera d'aller jusqu'à la colline aux Portes.

– Très bien, très bien, approuva Bertram. Mais ensuite, comment allons-nous repérer Qadehar… pardon, Maître Qadehar ?

– Je construirai un sortilège d'investigation quand nous serons là-bas, expliqua l'Apprenti.

Le manque d'enthousiasme de son ami commençait à l'inquiéter.

– Mais, tu sais, rien ne t'empêche de changer d'avis ! poursuivit-il. Tu n'es pas obligé de m'accompagner.

– Changer d'avis ? Ben voyons ! répondit Bertram, l'air étonné.

Guillemot l'observa du coin de l'œil. Son voyage nocturne depuis le monastère de Gifdu avait dû drôlement fatiguer son ami pour qu'il manque à ce point de repartie !

Ils marchèrent un moment sur la lande en direction de la mer. Puis, après s'être assurés que personne ne pouvait les voir, ils élaborèrent le sortilège complexe qui allait les conduire jusqu'au Monde Incertain. Tout en se remémorant la formule du *Galdr* et l'enchaînement des postures, Guillemot songea à ses amis, Ambre, Gontrand, Coralie et Romaric, qui avaient jusqu'à présent participé à toutes ses aventures. Pour la première fois, il ne les emmenait pas avec lui. À tort ou à raison, il ne s'était pas senti le droit de les mettre une nouvelle fois en danger... Il éprouva soudain un terrible sentiment de solitude, que même la présence de Bertram ne parvenait pas à effacer...

Quand il fut prêt, il fit signe à son compagnon, qui hocha la tête. Ils se prirent par la main. Guillemot adopta successivement les *Stadha* des huit Graphèmes composant le sortilège du voyage, tout en fredonnant l'incantation correspondante.

Bertram l'imita scrupuleusement. C'était la première fois qu'il se rendait dans le Monde Incertain ! Soudain, il y eut un éclair, suivi du bruit d'une porte qui s'ouvre. Et le jeune Sorcier se sentit emporter par un puissant tourbillon, avant de plonger dans un trou noir.

Les deux garçons avaient quitté Ys.

Alicia sortit de la maison en tenue d'équitation. Elle allait se diriger vers le château d'Urien de Troïl et ses écuries, où l'attendait une amie, lorsqu'elle aperçut une silhouette s'approcher vers elle d'un pas alerte. Elle reconnut sans difficulté le jeune homme.

– Madame de Troïl, je vous présente mes respects admiratifs et dévoués ! Guillemot m'a donné rendez-vous ici à midi. J'avoue être un peu en avance, mais mon désir de le revoir était tel que... Quelque chose ne va pas, madame ?

Alicia semblait complètement décontenancée.

– Mais enfin, Bertram, finit-elle par dire, tu viens de

partir avec Guillemot pour Dashtikazar, il y a une demi-heure à peine ! Qu'est-ce que cela signifie ?

– Moi ? Il y a une demi-heure ? Vous voulez rire ! répondit-il.

Pourtant, il voyait bien qu'elle était sincère et qu'elle semblait totalement incrédule.

Soudain, le visage d'Alicia changea d'expression. Elle eut un petit rire, comme pour se moquer d'elle-même, et menaça Bertram du doigt.

– Je vois ! Ce n'est pas gentil de me faire marcher ! Où est Guillemot, que je lui dise ce que je pense de ses blagues ?

– Il… heu, il est…, bafouilla-t-il.

– Bon, bon, ça va, dit gentiment Alicia. Qu'est-ce qu'il a oublié, cette fois ? Sa veste, je parie.

– Oui, c'est ça, sa veste.

– Elle est dans sa chambre, va la chercher. Je vais être en retard. Et dis de ma part à ce fainéant de faire ses commissions lui-même, plutôt que d'envoyer ses camarades !

Alicia prit la direction du château de son frère, tout en se demandant ce que Guillemot inventerait la prochaine fois pour la faire tourner en bourrique.

Bertram la regarda s'éloigner, complètement désemparé.

« Qu'est-ce que ça veut dire ? s'étonna le jeune Sorcier. Tudieu ! Je serais donc déjà venu ? Et je serais même reparti avec Guillemot ? Soit Mme de Troïl est devenue folle, soit il se passe quelque chose de… tout à fait anormal ! »

Il fit d'abord mine de se diriger vers la maison puis, lorsqu'il fut hors de vue d'Alicia, il prit ses jambes à son cou et fila vers Dashtikazar.

3
GUILLEMOT A DISPARU

Bertram tomba à genoux dans la poussière du chemin. Devant lui, Dashtikazar la Fière, capitale du Pays d'Ys, exhibait ses hautes maisons blanches. Il n'avait pas rattrapé Guillemot. Pourtant, en toute logique, il aurait dû le rejoindre : il avait couru sans s'arrêter depuis le village de Troïl, distant de seulement quelques lieues. Ses poumons le brûlaient et son cœur semblait sur le point de sortir de sa poitrine tant il battait vite. Il attendit d'avoir repris son souffle pour réfléchir à la situation.

Il quitta ensuite la route et repéra un peu plus loin un menhir que la foudre avait fendu. Il s'assit à côté.

« Voyons, se dit le jeune Sorcier, essayons d'analyser froidement la situation : je suis arrivé après le départ de Guillemot, et Mme de Troïl m'a affirmé qu'elle m'avait déjà vu avec lui un peu plus tôt dans la matinée. Ce qui veut dire qu'un individu qui me ressemble est venu ce matin même à Troïl ! Il s'est fait passer pour moi, et a emmené Guillemot avec lui ! Guillemot a dit qu'ils se rendaient à Dashtikazar, mais visiblement ils sont partis ailleurs. Cela ressemble fort à un enlèvement. Un enlèvement magique, même, puisque Guillemot et sa mère se sont laissé abuser par l'apparence de l'imposteur ! »

Son raisonnement tenait la route, mais il hésitait sur la marche à suivre. Seul, il ne pourrait rien faire. Qui allait pouvoir l'aider ? Maître Qadehar était parti dans le

Monde Incertain, avec Urien de Troïl et son majordome Valentin, pour éclaircir le massacre des Sorciers par les Orks à Djaghataël, et faire éclater la vérité.

Qui donc, en dehors de Qadehar, croirait à son histoire de sosie et d'enlèvement ?

La réponse s'imposa d'elle-même : les amis de Guillemot ! Des amis qui étaient aussi devenus les siens, depuis qu'il les avait sortis des griffes des Korrigans !

Il s'assit en tailleur, à même le sol, et construisit un *Lokk*, un assemblage magique, autour du Graphème de la communication, *Berkana*. Il envoya tout d'abord son *Lokk* à la recherche de Guillemot. L'absence de réponse confirma ses craintes : l'Apprenti n'était plus à Ys ! Puis il entra en contact avec le premier de ses amis...

« Coralie ? Ouh ! ouh ! Coralie, tu m'entends ? »

– Hein ? Qui me parle ? Qui m'appelle ?

– Eh bien, Coralie, quelque chose ne va pas ? s'enquit d'un ton pincé le professeur de français.

Cette femme sévère n'aimait pas que l'on trouble le silence de sa classe lorsqu'elle avait donné un exercice à faire.

– Il faut l'excuser, madame, répondit une élève sur un ton narquois, elle dormait !

– Ou alors, elle entend des voix ! renchérit une autre élève en pouffant.

– Taisez-vous ! Silence !

L'enseignante dut taper plusieurs fois sa règle métallique sur le bureau pour obtenir le calme.

Coralie n'avait pas que des amies au collège de Krakal. Terriblement mignonne, avec ses longs cheveux noirs bouclés et ses grands yeux bleus, elle avait le chic pour monopoliser l'attention des garçons ; ce qui ne plaisait pas forcément aux autres filles... Elle demanda pardon au professeur et promit que cela n'arriverait plus. Elle se replongea dans son exercice de grammaire. Il lui avait bien semblé entendre une voix, pourtant. Une voix de garçon. Elle n'était quand même pas folle !

« Coralie, c'est moi, c'est Bertram ! »

– Bertr…, commença-t-elle à voix haute, avant de mettre la main devant la bouche, les yeux ronds comme des soucoupes.

« Chut ! Ne parle pas ! Réponds-moi seulement dans ta tête, en pensant très fort ! »

« Bertram ? Mais… comment c'est possible ? »

« C'est de la magie. Écoute-moi bien, Coralie : Guillemot a été enlevé ! Il faut absolument que tu me rejoignes à Dashtikazar. Je vais contacter les autres. On se retrouve tous à la Taverne du Vieux qui Louche. Tu connais ? »

« Oui, je connais. Ils font de très bons jus de fruits et… »

« Occupe-toi de transmettre l'information à Ambre », l'interrompit Bertram.

« Tu ne veux pas lui parler directement ? l'interrogea Coralie. Tu peux bien lui pardonner, maintenant, non ? »

Coralie faisait allusion à la première rencontre de Bertram avec la bande… une première rencontre qui avait plutôt mal commencé pour le Sorcier.

« Il ne s'agit pas de ça, se défendit-il, même s'il conservait un souvenir cuisant du coup de genou qu'Ambre lui avait balancé… Tu sais bien comment réagit Ambre quand Guillemot est en danger… »

« Oui, tu as raison. Bon, le temps de trouver une excuse pour sécher les cours et pour mettre la main sur ma sœur, on sera à… cinq heures à la taverne, ça te va ? »

« Parfait. À tout à l'heure. »

« Je t'embrasse, Bertram et… »

Bertram interrompit précipitamment la communication mentale. Coralie ne lui était pas indifférente, et ce n'était pas le moment de se laisser troubler !

Il fit ensuite irruption dans l'esprit de Romaric qui, de surprise, faillit tomber de cheval, à l'heure des exercices équestres dans la cour de Bromotul, l'école des Écuyers de la Confrérie des Chevaliers du Vent. Même s'il ignorait complètement comment il allait s'échapper de Bromotul, Romaric promit à Bertram d'être au rendez-vous de la Taverne du Vieux qui Louche en fin d'après-midi.

Puis Bertram contacta Gontrand, pendant une pause au milieu d'une répétition, à l'Académie de Musique de Tantreval où le garçon avait été admis deux mois auparavant. Flegmatique comme à son habitude, Gontrand n'eut pas l'air étonné d'entendre la voix de Bertram dans sa tête. Lui aussi l'assura qu'il serait présent au rendez-vous.

Épuisé par sa longue course et les efforts que lui avait demandés la communication mentale, Bertram s'adossa au menhir. Il profita de la force tellurique que générait le mégalithe. Pour renforcer l'action bénéfique du courant, il appela en lui *Uruz*, le Graphème des énergies terrestres, et s'abandonna à sa bienveillance.

Lorsqu'il se sentit mieux, il essaya d'établir un nouveau contact mental. Il bâtit son *Lokk* berkanien et forma dans son esprit l'image de son ancien Maître informaticien au monastère de Gifdu.

« Gérald… tu es là ? »

« Où veux-tu que je sois, Bertram ? » répondit aussitôt le Sorcier d'une voix chaude et calme qui réconforta le jeune homme.

« Je ne sais pas ! Peut-être parti dans le Monde Incertain, comme Maître Qadehar ! Ou bien disparu, comme Guillemot… »

« Comment ça, disparu comme Guillemot ? Il s'est passé quelque chose ? »

Bertram expliqua la situation à Gérald et lui exposa

ses théories sur un éventuel enlèvement de l'Apprenti Sorcier.

« Si tu as raison, c'est très grave. Tu me raconteras tout cela en détail tout à l'heure... En revanche, je ne sais pas si c'était une bonne idée d'avoir mis dans la confidence les jeunes amis de Guillemot. Ils sont très imprévisibles ! Mais puisqu'on ne peut pas revenir en arrière... Je m'équipe et je pars sur-le-champ. Tu dis que cette taverne est située à proximité du port ? »

« Oui. On doit tous s'y retrouver en fin d'après-midi. »

« J'y serai donc, moi aussi. Tâche de faire en sorte que tout le monde reste tranquille. Un Apprenti disparu, ça suffit amplement pour l'instant ! »

« Je me réjouis de te voir, Gérald ! »

« Moi aussi, Bertram, moi aussi. »

La communication s'interrompit. Bertram laissa aller sa tête en arrière, contre le granit du menhir. Il avait fait tout ce qu'il pouvait. Et malgré les moqueries d'Agathe sur son pouvoir, le jour où lui, Guillemot et sa bande d'amis s'étaient retrouvés prisonniers des griffes des Korrigans, il savait que, cette fois-ci, il s'en était plutôt bien sorti !

4
LE TRAÎTRE

Bertram et Guillemot apparurent dans le Monde Incertain au beau milieu des Collines Mouvantes. L'Apprenti Sorcier avait choisi cet endroit parce qu'il était discret, mais surtout parce qu'il en avait soigneusement relevé sur une carte les coordonnées telluriques, vers lesquelles il avait orienté son *Galdr* du voyage.

Il fit quelques pas dans l'herbe brune que le vent couchait sous ses assauts comme il chassait l'écume sur la mer. Il lui sembla qu'il avait débarqué là pas plus tard que la veille, tout seul, après que ses amis, au cours du passage à travers la Porte, eurent été dispersés dans le Monde Incertain !

– Nous sommes quelque part entre la ville marchande de Ferghânâ, à l'ouest, la cité des horribles prêtres de Yénibohor, à l'est, la Mer des Brûlures, au nord, et le Désert Vorace, au sud, expliqua-t-il à son compagnon qui ne connaissait rien de ce monde étrange et cruel.

Il n'entendit pas de réponse. Derrière lui, Bertram chancelait comme un homme ivre. Guillemot se retourna.

– Bertram, ça ne va pas ? Bon sang, ce doit être un effet secondaire du passage entre les Mondes, comme pour Ambre ! Il faut t'allonger et attendre que ça passe !

Il se précipita pour soutenir son ami.

Mais à peine le toucha-t-il que Bertram retrouva toute sa vigueur et l'empoigna. Il lui fit une prise savante au niveau du cou, qui le fit suffoquer.

– Bertram, qu'est-ce que... Tu es fou... Arrête...

Bertram se contenta de ricaner et serra encore plus fort. Lorsqu'il sentit sa victime au bord de l'évanouissement, il relâcha sa prise, juste assez pour la garder en vie. Guillemot eut alors la stupéfaction de voir les traits de Bertram se brouiller pour laisser la place à ceux d'un vieillard. Il s'affala sur le sol. Il sentit sa tête bourdonner. Ce n'était pas possible ! C'était trop bête ! Il tenta de lutter contre la sensation désagréable qui l'envahissait de plus en plus, mais en vain. Il eut cependant l'ultime réflexe de faire apparaître des Graphèmes au milieu des brumes de son cerveau. À l'instant où il perdit connaissance, *Gebu* et *Wunjo*, sous leur forme incertaine, se mirent à briller.

– Qadehar... tout va bien ? s'inquiéta Urien de Troïl en voyant le Sorcier s'arrêter brusquement de marcher.

Urien de Troïl était l'oncle de Guillemot et de Romaric. C'était une espèce de géant bourru à la barbe grise, qui portait avec négligence une impressionnante hache de guerre sur l'épaule, à côté d'un sac volumineux.

– Ça va, oui. J'ai juste cru un instant que... Non, c'est idiot, ajouta Qadehar en secouant la tête comme pour chasser un mauvais pressentiment.

Qadehar était le Maître Sorcier de Guillemot. Il avait une allure d'athlète, des yeux bleu acier et un air dur qui s'adoucissait quand il souriait. Il paraissait avoir trente-cinq ou quarante ans. Une sacoche pleine de livres et d'ustensiles magiques pendait sur sa hanche, à côté d'un sac à dos en toile contenant des affaires de voyage.

– Que se passe-t-il ? demanda Valentin, majordome et ami d'Urien, un homme sec et musculeux aux cheveux blancs, qui portait comme son maître l'armure turquoise des Chevaliers du Vent.

– Une seconde durant, j'ai cru capter un appel de détresse. Un sortilège aléatoire, de ceux qu'on lance comme une bouteille à la mer avant un naufrage.

– Tu as pu déterminer qui l'avait envoyé ?

– Non, Valentin, je n'en ai pas eu le temps. C'était trop fugace.

– Est-ce que ça pourrait être... un appel de Guillemot ?

– Je ne pense pas : il provenait du Monde Incertain... Allez, oublions ça. En route !

Les trois hommes reprirent leur marche en direction de la cité des Petits Hommes de Virdu, où ils espéraient obtenir de précieux renseignements sur l'épisode dramatique de Djaghataël, raison pour laquelle ils étaient venus en ces terres inhospitalières.

Le vieil homme qui avait trompé Alicia et Guillemot en prenant l'apparence de Bertram bâillonna et entrava solidement son prisonnier qui gisait, inconscient, dans l'herbe des Collines Mouvantes. Il savait ce dont le garçon était capable ! Il ferma ensuite les yeux et se concentra.

« Maître ? C'est moi, votre serviteur le plus zélé ! J'ai ce Guillemot, l'enfant que vous désirez... »

« Tu as l'enfant... Eusèbe de Gri... Bravo... oui bravo... Tu ne seras pas oublié... à l'heure de mon triomphe... Où est-il ? Où est l'enfant ?... »

« Avec moi, Maître. Quelque part dans les Collines Mouvantes. »

« Ne dis plus rien... je t'ai localisé... J'envoie des

hommes… pour t'escorter jusqu'à moi… Nous boirons une corma… à ton succès… »

« Merci, Maître, merci. »

Eusèbe de Gri, Mage d'un monastère de la Guilde sur la Lande Amère et ennemi déclaré de Qadehar au sein de l'ordre des Sorciers, attendit que la conversation mentale s'achève pour se permettre de frissonner. Même distante, la voix du démon au manteau de ténèbres parvenait à lui glacer le sang ! Il vérifia une dernière fois la solidité des liens qui emprisonnaient Guillemot, puis se mit à guetter avec impatience l'arrivée des hommes du Maître.

5
LA TAVERNE DU VIEUX QUI LOUCHE

Bertram arriva en avance sur le port de Dashtikazar. Pour tromper son attente, il déambula un moment parmi les voiliers appartenant aux riches familles de la ville et les barques robustes des pêcheurs.

Les cris stridents des oiseaux luttant avec la brise se mêlaient aux claquements des voiles mal arrimées et aux cliquetis des haubans contre les mâts.

Bertram sentit poindre en lui de la tristesse. Ce port lui en rappelait un autre, quelque part dans le monde réel, où il allait en vacances avec ses parents, lorsqu'il était tout jeune. Il se souvint de la plage, et de son père jouant avec lui au ballon tandis que sa mère profitait du soleil, allongée sur une serviette blanche... Tout cela était si loin ! Il songeait, comme à une autre vie qu'il aurait vécue, avant l'accident qui avait provoqué la mort de ses parents, avant son rapatriement au Pays d'Ys par son parrain Gérald.

Une boule se forma dans sa gorge, ses paupières papillonnèrent. Il se reprocha sa faiblesse, sortit un mouchoir de sa poche et se moucha. Puis il se dirigea à grandes enjambées vers le lieu du rendez-vous.

La Taverne du Vieux qui Louche, contrairement à ce que laissait entendre son nom, n'avait rien d'un repaire de pirates. La matinée, pêcheurs et mareyeurs discutaient des cours du poisson devant un verre de vin fruité des

Montagnes Dorées. À midi, les commerçants du quartier se retrouvaient autour d'une corma, d'un plat de fruits de mer ou d'une aile de raie pochée aux câpres, pour parler de leurs affaires. L'après-midi, les jeunes étudiants de Dashtikazar aimaient occuper les alcôves de la grande salle pour travailler ou bavarder en se gavant de jus de fruits et de café. Le soir se rassemblait une foule hétéroclite d'habitués, qui philosophaient sur le monde avant d'entonner des chansons à boire.

À l'heure, donc, où Bertram poussa la porte de l'établissement, ce furent les regards curieux d'une poignée d'étudiants qui l'accueillirent. Ceux-ci n'avaient pas souvent eu l'occasion de voir un homme de la Guilde, vêtu du prestigieux manteau sombre et doté de la mystérieuse sacoche.

Deux paires d'yeux, notamment, le fixèrent avec étonnement, avant de se dissimuler derrière la cloison d'une alcôve, d'où montèrent bientôt des exclamations étouffées.

Bertram, à qui ce curieux manège avait échappé, montra la plus parfaite indifférence et s'installa à une table ronde qu'il choisit proche de l'entrée...

La pendule au-dessus du comptoir indiquait tout juste cinq heures, quand deux jeunes filles firent leur entrée dans la taverne. Elles avaient treize ans environ et se ressemblaient comme deux gouttes d'eau, à ce détail près : l'une portait les cheveux courts et l'autre, les cheveux longs.

– Ambre ! Coralie ! les appela Bertram en agitant la main.

– Bonjour, Bertram ! Ça fait plaisir de te revoir, s'exclama la belle Coralie en faisant claquer deux baisers sonores sur les joues du Sorcier qui s'empourpra légèrement.

– Salut, dit plus sobrement Ambre en lui tendant la main. Tu as pris des couleurs, on dirait !

Ambre était la sœur jumelle de Coralie, à laquelle elle avait volontiers cédé le monopole de la coquetterie. Pour sa part, sportive et dotée d'un caractère entier, elle était autant la terreur des garçons que Coralie leur égérie. Mais sa carapace n'était pas sans failles : il arrivait, quand elle n'y prenait garde, que ses sentiments pour Guillemot la transforment en une jolie fille comme les autres...

– C'est bien, vous êtes ponctuelles, éluda Bertram. J'ai contacté Romaric et Gontrand, ils n'étaient pas sûrs d'être à l'heure au rendez-vous. Mais ils m'ont promis de venir.

– Bon, commença Ambre en s'asseyant, dis-nous ce qui se passe.

– On va d'abord commander, proposa Coralie en levant le bras à l'attention du serveur. Qu'est-ce que vous prenez ? Ambre ? Bertram ?

– Un chocolat chaud.

– Une corma.

– Et un nectar de poire pour moi, annonça Coralie.

– Une autre corma, s'il vous plaît.

Bertram, Ambre et Coralie se tournèrent vers l'homme, essoufflé et transpirant, qui s'était adressé au serveur.

– Gérald ! s'exclama Bertram, manifestement ravi.

Gérald était un homme de petite taille, au ventre rebondi par les plaisirs de la table. Son crâne dégarni abritait une grande intelligence et, derrière ses lunettes, des yeux pétillants annonçaient un esprit libre et alerte. Il pouvait avoir quarante ou quarante-cinq ans, et portait le manteau sombre et la sacoche des Sorciers de la Guilde. C'était un grand ami de Maître Qadehar.

Bertram s'empressa de faire les présentations :

– Gérald, je te présente Ambre et Coralie, des amies de Guillemot. Elles viennent de Krakal. Les filles, je vous présente Gérald, mon Maître Sorcier et parrain. Devant la gravité de la situation, je me suis permis de le convier à notre réunion...

Ambre et Coralie s'étaient levées poliment.

– Nous sommes ravies de vous rencontrer, monsieur.

– Moi de même, jeunes filles, répondit Gérald en s'épongeant le front. Je vous en prie, asseyons-nous. Mon voyage m'a épuisé. Et je crois que j'ai suffisamment attiré l'attention comme ça !

Les conversations qui s'étaient arrêtées un instant autour d'eux reprirent de plus belle. Deux Sorciers le même jour dans la Taverne du Vieux qui Louche, voilà qui n'avait rien d'habituel !

Le serveur apporta les boissons. Ils trinquèrent.

Après avoir bu plusieurs gorgées de l'excellente bière au miel d'Ys, Gérald laissa échapper un soupir de satisfaction.

– Ça va mieux ! s'exclama-t-il. Le voyage depuis Gifdu m'a éreinté... Au fait, Bertram, tu ne m'avais pas dit que tous tes amis devaient venir ?

– Si, mais Romaric doit d'abord s'échapper de la forteresse-école de Bromotul et Gontrand, de l'Académie de Tantreval ! Ce n'est pas si facile que ça...

Ils décidèrent d'attendre les deux retardataires avant d'aborder les questions sérieuses. Et Ambre fut obligée de chercher patience... Ils discutèrent donc de tout et de rien, et Coralie se montra experte à ce jeu. Enfin, au moment où ils n'espéraient plus les voir arriver, Romaric et Gontrand firent irruption dans la taverne.

Romaric, qui suivait une formation d'Écuyer dans la Confrérie des Chevaliers du Vent, était le cousin de Guillemot, et son aîné de quelques mois. Il avait treize ans et demi, mais paraissait davantage. C'était un garçon robuste et musclé, courageux et volontaire. La blondeur de ses cheveux tout comme le bleu intense de ses yeux en faisaient, sans aucun doute possible, un vrai Troïl…

Gontrand avait l'âge de Romaric, à quelques jours près, et il était son meilleur ami. Grand, plutôt maigre, il avait les yeux couleur noisette et des cheveux noirs toujours soigneusement coiffés. Doté d'un humour corrosif et d'un calme à toute épreuve, il se destinait à être musicien.

Les deux garçons s'excusèrent auprès de leurs amis : il avait fallu ruser pour fausser compagnie à leurs professeurs et gardiens ! Ils furent heureux de faire la connaissance de Gérald, ce fameux parrain qui avait rapatrié Bertram à Ys. Ils commandèrent à leur tour deux verres de jus d'airelle bien frais et prirent place à table.

– Très bien, commença Bertram, puisque tout le monde est là…

– Enfin ! gémit Ambre, au comble de l'inquiétude depuis qu'elle savait qu'il était arrivé quelque chose à Guillemot.

– Du calme, Ambre, la gronda Romaric.

Lui et ses amis présents n'avaient pas oublié la scène qu'elle avait faite sur la lande, quand les Korrigans s'en étaient pris à Guillemot, personnellement.

– Bon, je peux placer un mot ? se vexa Bertram. Je vous rappelle tout de même que Guillemot a disparu et qu'il a vraisemblablement été enlevé !

Le calme revint. Tous prêtèrent une attention soutenue. Bertram récapitula les événements tels qu'ils s'étaient passés, et exposa les conclusions auxquelles il était arrivé. Le petit groupe était atterré. À tel point que personne ne se rendit compte que leur conversation semblait intéresser vivement deux individus cachés dans une alcôve voisine, deux individus qui avaient déjà assisté à l'arrivée de Bertram avec des yeux ronds…

– Je peux confirmer une chose, déclara Gérald, c'est que Guillemot ne se trouve plus à Ys. Moi aussi, j'ai essayé de le contacter mentalement, mais je n'y suis pas parvenu.

– L'Ombre! s'exclama Coralie. Ce ne peut être qu'elle!

– C'est possible, c'est même tout à fait probable, reconnut Gérald.

Il ne put s'empêcher de penser au traître qui se cachait – du moins Qadehar et lui-même le supposaient – au sein de la Guilde.

– Il s'agit en tout cas de quelqu'un qui maîtrise suffisamment les arts sorciers pour pouvoir prendre une autre apparence, ajouta-t-il.

– C'est faisable, ça? s'étonna Romaric.

– Bien sûr! répondit Bertram d'un ton supérieur. Il suffit de…

– La question n'est pas de savoir comment, le coupa Gontrand, ni même par qui, mais où! Où a-t-il été emmené?

– Dans le Monde Incertain, vraisemblablement, répondit Gérald, puisque Bertram ne les a pas rattrapés sur la route qui conduit à Dashtikazar et, au-delà, vers la colline aux Portes. Or, le *Galdr* du Désert, que vous connaissez pour l'avoir utilisé avec Maître Qadehar, permet seulement de rejoindre, depuis Ys, le Monde Incertain.

– Dans ce cas, déclara Romaric, qu'est-ce qu'on attend pour y aller?

– Holà, holà! s'exclama Gérald d'un ton autoritaire, accompagnant ses paroles d'un geste leur signifiant de ne pas s'emballer. Vous n'irez nulle part! La situation est déjà assez confuse comme ça. N'allez pas en rajouter! Vous allez tous rentrer sagement chez vous. De mon côté, je vais immédiatement aller voir le Prévost. Il décidera de ce qu'il convient de faire.

Gérald se leva. Ambre allait s'insurger contre le discours du Sorcier, quand Romaric lui fit un signe et un clin d'œil.

Gérald paya l'addition et salua les jeunes gens.

– Bertram, dit-il enfin, je compte sur toi pour que ce petit monde ne fasse pas de bêtises. D'accord ? Bon, au revoir !

– Au revoir ! répondirent-ils en chœur.

Dès que le Sorcier eut quitté la taverne, ils se regardèrent les uns les autres.

– Vous savez à quoi je pense ? demanda Romaric en faisant mine d'examiner les ongles de sa main.

Un sourire illumina aussitôt le visage de chacun des amis réunis, à l'exception de Bertram…

6
Une décision insensée

– Qu'est-ce que vous en dites ? demanda Romaric, après avoir exposé son plan.

– Ça me va, dit Ambre en hochant la tête. Ça me va même très bien.

– Guillemot est en danger, on ne peut pas rester là sans bouger ! confirma Gontrand.

– Oh... moi, tant que je suis avec vous..., se contenta de dire Coralie en coulant un regard vers Romaric.

Ils se tournèrent vers Bertram, qui ne pipait mot.

– Et toi, Bertram ? demanda Romaric.

– Désolé, mais ton plan a une faille, répondit le jeune homme.

– Ah oui ? Laquelle ?

– Pour se rendre dans le Monde Incertain, il faut ouvrir la Porte du Monde Incertain. Il vous faut donc un Sorcier...

– Et tu n'es pas Sorcier, peut-être ? lui lança Ambre.

– Si, répondit-il, je suis Sorcier. Mais qui vous dit que j'accepterai de vous aider ? Mon parrain m'a demandé de veiller à ce que vous ne fassiez pas de bêtises. Et cette idée d'aller retrouver Guillemot dans le Monde Incertain, ça ressemble fort à une bêtise !

– Lâcheur, laissa tomber Gontrand.

– Lâcheur ? Traître, oui ! s'écria Ambre en fusillant Bertram du regard.

— Taisez-vous! intervint Romaric. Bertram a raison : sans son aide, nous sommes cloués ici.

— Que faut-il faire pour que tu changes d'avis? demanda Ambre avec hargne, en se tournant vers le jeune Sorcier. Te supplier peut-être?

— J'avoue que cela ne me déplairait pas, répondit-il avec un sourire en coin. Mais c'est inutile : le plan de Romaric est trop dangereux, un point c'est tout.

— Et si je t'embrassais? proposa Coralie. Les gentes dames embrassent toujours les héros, pour leur redonner du courage.

— Cela ne me déplairait pas non plus! dit Bertram avec une petite lueur malicieuse dans l'œil. Mais...

— Bah! Laissons tomber, soupira Romaric tout en donnant un discret coup de pied à Gontrand. De toute façon, ce plan est complètement foireux...

— Foireux? Comment ça, foireux! s'insurgea Ambre. Je le trouve au contraire...

— J'ai bien dit foireux, répéta Romaric en l'interrompant brutalement, parce que c'est évident que, même s'il l'avait voulu, Bertram aurait bien été incapable d'ouvrir la Porte du Monde Incertain!

Bertram hoqueta de surprise.

— Remarque, renchérit Gontrand après un regard complice vers Romaric, il n'y peut rien : ouvrir les Portes de la colline, ce n'est pas donné à tout le monde.

— Mais... mais je...

— C'est vrai, reprit Romaric, j'ai toujours entendu dire que seuls les Sorciers de premier plan avaient les capacités magiques pour réaliser ce tour de force.

— Bertram est un Sorcier de premier plan! le défendit Coralie.

— Exactement! s'exclama Bertram. Je suis tout à fait capable d'ouvrir la Porte du Monde Incertain. Tudieu! Je vous le prouverai cet après-midi même!

– Bravo ! enchaîna Gontrand avant que l'exaltation du Sorcier ne retombe. Je te retrouve enfin. Levons nos verres à notre héros !

– À Bertram ! Et à Guillemot, que nous allons délivrer dans le Monde Incertain !

Ils entrechoquèrent leurs gobelets et leurs tasses. Bertram bomba le torse comme un paon.

– Bon, dit Ambre, il n'y a pas de temps à perdre. Mettons-nous en route sans plus tarder. Guillemot court peut-être un grave danger.

– C'est vrai, acquiesça Romaric en se levant de table. Allons-y !

Au même instant, ils entendirent s'élever une voix dans leur dos :

– Désolé, les gars, mais...

– ... vous n'irez nulle part sans nous !

Ils firent volte-face. Surgis de l'alcôve où ils se tenaient cachés, Agathe de Balangru et Thomas de Kandarisar se tenaient devant eux, l'air décidé.

Agathe était une grande fille un peu maigre, aux yeux et aux cheveux noirs, à la bouche trop grande. Comme son comparse, Thomas, elle s'apprêtait à fêter son quatorzième anniversaire. Elle avait été autrefois la grande ennemie de Guillemot au collège, avant d'être enlevée par des Gommons dans le Monde Incertain... et avant que Guillemot et ses amis ne la délivrent... Depuis, elle s'était prise d'une sorte de passion pour l'Apprenti Sorcier, ce qui n'était pas vraiment du goût d'Ambre.

Thomas, un garçon costaud et trapu, roux, plutôt boudeur, était le meilleur ami d'Agathe. Guillemot l'avait sauvé des griffes d'un monstre, et depuis cet épisode il lui vouait une reconnaissance sans bornes.

– Thomas ? Agathe ? Qu'est-ce que vous faites là ? s'étonna Romaric.

– Le hasard fait parfois bien les choses ! répondit Agathe. On avait une interro d'histoire, cet après-midi. On n'était pas tout à fait au point, lui et moi, alors on a sagement évité d'y aller... Et pour ne pas se faire remarquer, on s'est réfugiés à la Taverne Vieux qui Louche.

– Et Agathe a reconnu Bertram quand il est entré, ajouta Thomas.

– On a compris qu'il se passait quelque chose, alors on a décidé d'attendre, continua-t-elle.

– Et on ne s'est pas trompés ! enchaîna Thomas. On a entendu toute votre histoire !

– Alors voilà, dit Agathe en croisant les bras dans une attitude de défi : vous nous mettez dans le coup, ou on raconte ce qu'on sait aux gardes du Prévost.

Il y eut un silence, chacun se jaugeant du regard. Puis, en voyant qu'Agathe et Thomas n'avaient pas l'air de plaisanter, Romaric se rassit et invita tout le monde à en faire autant.

– Je tiens à vous prévenir, commença Romaric, on va prendre des risques, ce sera dangereux.

– Guillemot n'a jamais hésité à venir à notre secours, même quand c'était dangereux, répondit Agathe. Pas vrai, Thomas ?

– C'est vrai, répondit le rouquin. Il aurait pu se sauver, le jour où on a été poursuivis par le Gommon sur la plage : mais il a fait demi-tour pour venir nous aider... Rien ne l'obligeait à le faire.

– Bon, d'accord, convint Romaric. On a tous une dette envers Guillemot.

Ambre fit la moue.

– Les motivations d'Agathe ne me semblent pas très claires..., annonça-t-elle.

– Écoute, Ambre, répondit la grande fille en rougissant légèrement. J'avoue m'être mal comportée, lors des fêtes de Samain, à Dashtikazar. Mais j'ai juré, et tous tes amis en sont témoins, que je… enfin, que Guillemot… ne m'intéressait plus.

– C'est vrai, confirma Coralie, elle l'a juré.

– Regardons les choses en face, intervint Gontrand qui s'était jusque-là tenu à l'écart de la discussion : nous ne serons pas trop de sept pour sauver Guillemot des griffes de son ravisseur !

– Gontrand a raison, dit Thomas. Arrêtons de nous disputer. Ce qui compte, maintenant, c'est la vie de Guillemot.

– D'autant que je n'ai pas l'impression qu'on est vraiment prêts pour séjourner dans le Monde Incertain, déclara Agathe. On ferait bien de passer d'abord chez moi pour nous équiper !

Bertram ne disait rien. Il était blanc comme un linge.

– Bertram ? Ça va ? demanda Coralie.

– Oui…, marmonna-t-il. Disons que… hum… ouvrir la Porte, c'est déjà difficile, et… et je ne sais pas si je serai capable d'emmener six personnes…

– On te fait entièrement confiance, Bertram le Sorcier, dit Ambre en lui tapotant amicalement l'épaule.

– Tu es le plus fort ! ajouta Coralie en battant des paupières.

– Sous ta protection, je suis certaine que nous pourrions combattre l'Ombre elle-même, renchérit Agathe avec un sourire enjôleur.

– Tudieu ! s'exclama Bertram en se levant brusquement, soudain revigoré. Qu'est-ce qu'on attend pour partir ?

7

L'ŒUF COSMIQUE

Guillemot reprit connaissance sur le dallage froid d'une pièce obscure. Il mit un moment à recouvrer ses esprits. Il lui semblait revenir de très loin, et le seul fait de se remettre à penser était douloureux. Que s'était-il passé ? Bertram était venu le chercher chez lui, à Troïl, et ils étaient partis sur la lande. Mais était-ce bien Bertram... Sinon de qui s'agissait-il, au juste ? Et que voulaient-ils faire ? Ah oui, ils voulaient aller dans le Monde Incertain, à la recherche de Maître Qadehar. Mais il s'était produit quelque chose... Soudain, toute la scène lui revint en mémoire : Bertram qui l'étranglait, Bertram qui se transformait en vieillard ricanant !

Au prix d'un effort colossal, il parvint à s'asseoir. Il laissa ses yeux s'habituer à la pénombre. Il se trouvait dans une vaste pièce, ronde et nue, à l'exception d'une paillasse, d'une couverture et d'un broc d'eau. Une lucarne, protégée par des barreaux, laissait passer la faible lueur du jour, et donnait une idée de l'épaisseur des murs, constitués comme le sol d'énormes blocs de pierre grise. Enfin, une solide porte en bois, ferrée, était la seule issue du cachot. Car il s'agissait bien d'un cachot !

Soudain, une voix s'éleva dans le silence de la pièce.

– Alors, le sol de ta prison n'est pas trop dur ?

Guillemot sursauta et se tourna vers la porte. Elle était entrouverte. Un homme, qu'il ne vit pas tout de suite, se tenait dans l'embrasure. Il reconnut le vieillard qui avait pris les traits de Bertram.

Le Mage de Gri cracha par terre et ricana.

– Je m'en voudrais de ne pas traiter comme il le faut le grand Guillemot, l'idole des Sorciers de la Guilde, l'élève chéri de cet imbécile de Qadehar !

Guillemot fit un effort pour se relever. Sa tête lui faisait un peu moins mal, et la sensation de vertige avait maintenant disparu.

– Qui êtes-vous ?

– Je suis avant tout le fidèle serviteur de celui qui règne en maître dans ce monde. Et au Pays d'Ys, continua-t-il avec sarcasme, je joue le rôle de Mage, dans le monastère de Gri...

– Vous êtes un Sorcier ! s'exclama Guillemot. Vous avez fait appel à la magie pour prendre l'apparence de Bertram ! Mais comment...

Le Mage de Gri l'interrompit d'un geste moqueur.

– Petit naïf... Tu t'imaginais donc tout connaître de la sorcellerie après six mois d'Apprentissage ? *Raidhu* n'est pas seulement le Chariot du voyage, c'est aussi la Voie vers les transformations ! *Dagaz* permet de masquer son identité, *Féhu* de créer une autre image de soi, et *Uruz* de la fixer. Le reste n'est rien d'autre qu'une affaire de sort à tisser...

– Je sais déjà tout ça ! répondit Guillemot en haussant les épaules. Je me demandais simplement comment vous aviez fait pour savoir que Bertram devait venir chez moi.

Le Mage de Gri marqua une pause, visiblement stupéfait. Les paroles de l'Apprenti et le calme avec lequel il les avait prononcées l'avaient quelque peu ébranlé. Quel aplomb, quelle assurance montrait ce jeune garçon ! Le Maître avait-il raison ? Guillemot de Troïl était-il donc capable d'accéder aux ultimes sortilèges du Grand Livre ?

– J'ai intercepté votre conversation mentale, l'autre soir, expliqua laconiquement le Mage. Je n'étais pas particulièrement à l'écoute, mais tu as projeté ton *Lokk* vers Bertram avec tant de force que je n'ai pas pu faire autrement que de l'entendre! Mais ça suffit, dit-il soudain en faisant mine de partir, le Maître ne tardera pas à venir te voir. Je dois quant à moi rentrer au Pays d'Ys et reprendre sagement mon rôle de Mage, à Gri; ce serait dommage que la Guilde ait des soupçons!

Il hoqueta d'un rire sec.

Puis la porte se referma sur le vieux Sorcier, et Guillemot se retrouva seul. Il se sentit tout à coup profondément abattu. Il avait beaucoup pris sur lui pour rester brave devant le Mage de Gri. Maintenant que le Sorcier était parti, il pouvait relâcher la tension. Le désespoir l'envahit soudain. Cette fois, les jeux étaient faits. Il était bel et bien prisonnier de celui que le Mage avait appelé son maître, et qui n'était autre que l'Ombre elle-même! Personne ne savait où il était: personne ne lui viendrait donc jamais en aide. Il était perdu. Alors, les paroles de Kor Mehtar, le roi des Korrigans, lui revinrent à l'esprit, et il prit peur: «Je n'envie pas ton sort, qui sera pire que la mort», lui avait-il dit quand, sur la lande, il avait décidé de le livrer à l'Ombre... Que lui voulait cette créature diabolique? Et surtout, qu'allait-elle lui faire? Ravalant ses larmes, Guillemot se dirigea vers la paillasse et s'y laissa tomber. Puis il ferma les yeux et souhaita de toutes ses forces qu'il ne s'agisse que d'un horrible cauchemar.

Lorsqu'il les rouvrit, un long moment s'était écoulé. Il avait sombré dans un sommeil comateux d'où il émergea avec peine. Un regard alentour lui confirma malheureusement qu'il ne s'agissait pas d'un mauvais rêve...

Il s'obligea à se mettre debout. Bon sang! Il n'avait pas échappé à des Gommons, ni affronté des Orks, ni faussé compagnie à Thunku pour atterrir aussi bêtement dans ce cachot, dans les griffes de l'Ombre ! Il devait faire quelque chose. N'importe quoi, pourvu qu'il agisse. Même si c'était sans espoir...

Il pensa à son Maître, et cela lui donna du courage. En réfléchissant encore un peu, il reconnut lui-même qu'il n'était pas sans ressources. Depuis qu'il pratiquait la magie, il avait réussi des tours incroyables. Bertram le lui avait fait remarquer, et Gérald aussi. Guillemot avait même réussi à tenir tête au Seigneur Sha, grâce à un *Lokk* de son invention ! L'Ombre allait voir ce qu'elle allait voir ! Mais... Par où commencer ?

Guillemot décida de procéder dans l'ordre, mais sans perdre de temps. Il élabora un *Lokk* de communication et le projeta en direction de Qadehar dont il avait formé le visage dans sa tête. Le *Lokk* lui revint assez brutalement en pleine figure, et cogna avec un petit bang son esprit.

Surpris, Guillemot recommença à plusieurs reprises avant de comprendre : les murs de son cachot avaient été imprégnés d'un sortilège destiné à bloquer les communications. Ce qui voulait dire que, même si son Maître savait qu'il était dans le Monde Incertain et cherchait à le localiser, il n'y parviendrait pas.

« Bon, au moins, c'est clair, se dit l'Apprenti : je sais que je ne dois compter que sur moi ! »

L'idée lui vint ensuite tout naturellement de se placer sous la protection d'une Armure d'*Elhaz*, une protection façon Guillemot, c'est-à-dire combinée à un Heaume de Terreur. Il savait intuitivement que cela ne serait pas suffisant : l'Ombre disposait sans aucun doute de pouvoirs terrifiants ! Mais enfin, c'était tout de même quelque chose. Il se déplaça donc au centre du cachot, en prenant soin de se munir de la couverture et du broc.

– Si ma protection fonctionne, j'aurai besoin d'eau pour tenir le siège ! dit-il à haute voix.

Tout comme le jour où il avait dû fuir à travers les sous-sols du monastère de Gifdu devant le Seigneur Sha, le fait de parler et d'entendre le son de sa propre voix le réconforta.

Il réfléchit ensuite au moyen de tracer sur le sol en pierre les Graphèmes du sortilège ; bien entendu, on lui avait enlevé sa sacoche d'Apprenti, et donc le *Ristir*, le poignard graveur, qui se trouvait à l'intérieur. Heureusement, le vieux Mage de Gri n'avait pas pensé à lui ôter sa ceinture. Il la défit et prit la boucle de métal. Puis il grava, autour de lui et des objets qu'il avait rassemblés, en s'appliquant au mieux, six fois le *Lokk* du Heaume de Terreur. Lorsqu'il eut terminé, il prononça l'incantation qui le mettrait à l'abri d'un mur d'énergie invisible :

– *Par le pouvoir d'Elhaz, Erda et Kari, Rind, Hir et Loge, Ægishjamur devant, Ægishjamur derrière, Ægishjamur à gauche, Ægishjamur à droite, Ægishjamur au-dessus, Ægishjamur au-dessous, Ægishjamur protège-moi ! ALU !*

L'air frémit autour de Guillemot, à sa grande satisfaction.

– Parfait ! Ça a l'air de marcher ! Il n'y a donc pas chez l'Ombre de trace de magie de blocage, comme dans la caverne des Korrigans.

Il commençait à se sentir un peu mieux. Il n'était plus totalement vulnérable ! Mais il allait devoir trouver une protection encore plus puissante que l'Armure et le Heaume pour faire face à l'Ombre...

– Bon. Je dois me dire que mon *Galdr* n'est qu'une première ligne de défense. Mes remparts sont érigés, il me faut maintenant un donjon. C'est cela, un donjon ! Qu'est-ce qui pourrait constituer un donjon ?

Il avait beau se creuser la tête, rien ne lui venait à l'esprit. Il était sur le point de renoncer, et de se contenter de la seule protection de l'Armure lorsque, parmi les vingt-quatre Graphèmes qu'il avait appelés et qui s'étaient mis en rang dans son esprit, trois d'entre eux se mirent à scintiller timidement. De la même façon que *Thursaz* s'était imposé contre le Gommon de la plage, à Ys, et qu'*Isaz* avait agi presque malgré lui sous la roulotte du faux magicien Gordogh, à Ferghânâ, les Graphèmes *Odala*, *Hagal* et *Mannaz* se manifestèrent en toute indépendance.

– *Odala*, le Graphème de la possession, protectrice de la demeure… Pourquoi n'y ai-je pas pensé plus tôt pour renforcer mon Armure ?

Il s'empressa de graver entre chaque *Ægishjamur*, tout en respectant l'aspect incertain des Graphèmes, la forme d'*Odala*. Puis il murmura une formule destinée à l'apprivoiser :

– *Toi l'Héritage, le don du Soir, toi qui gouvernes les lieux sacrés, parce que dans ta demeure l'aigle est en sécurité, aide-moi à renforcer mes remparts ! OALU !*

Lorsque le sixième dessin fut achevé et que le cercle fut bouclé, les représentations d'*Odala* s'éclairèrent d'une lumière sombre et projetèrent des lueurs d'un bleu translucide sur le mur d'énergie jusque-là invisible. Il sembla à Guillemot que la protection avait triplé d'épaisseur. Cette impression le ravit.

– Bon, maintenant que j'ai un rempart digne de ce nom, occupons-nous de mon donjon !

L'Apprenti appela le deuxième Graphème qui s'était modestement manifesté à lui, et qui était peut-être le plus puissant : *Hagal*. Maître Qadehar lui avait dit, un jour, que tous les mystères du multivers se trouvaient peut-être enfermés entre ses huit branches ! Les Sorciers l'appelaient affectueusement la Grande Mère ou bien l'Étoile. *Hagal* ferait en l'occurrence un donjon parfait…

Il traça un seul mais énorme *Hagal* sur toute la surface libre dans l'enceinte de l'Armure. Puis il s'assit au centre du Graphème et invoqua sa protection :

– *Toi la Grêle, toi la Rouge, fille d'Ymir, parce que Hropt*

*aima le Monde Ancien, je me remets entre tes mains !
HALU !*

Le sol trembla légèrement sous les talons de Guillemot. Puis les huit branches du Graphème s'embrasèrent, et bientôt des flammes rouges et froides crépitèrent.

« Parfait ! se réjouit Guillemot en lui-même. Maintenant, l'Ombre peut venir ! »

Il congédia les Graphèmes dans son esprit. Tous s'estompèrent, sauf le dernier qui s'était faiblement éclairé quelques instants auparavant : *Mannaz*. Cette bizarrerie laissa Guillemot perplexe. Cela signifiait certainement quelque chose dont il devait tenir compte. Voyons, il avait construit un rempart et un donjon ; que pouvait-il faire de plus ?

La réponse jaillit alors comme une évidence : il manquait un abri, une pièce secrète au cœur du donjon ! Un ultime recours, une dernière cachette ! Il s'agenouilla et grava, au centre de *Hagal, Mannaz*, le vingtième Graphème, l'œuf cosmique, le lien entre l'Homme et les Puissances. Puis il chuchota pour activer le Graphème, comme il fallait le faire lorsque plusieurs signes magiques étaient invités à travailler ensemble, ou côte à côte :

*– Toi le Lien, frère de Mani, Œuf stellaire, Ancêtre aux cent médecins, rêve et inconscient, unité du temps, parce que puissante est la serre du faucon, je me confie à toi !
MALU !*

Il ne se passa rien de spectaculaire, mais *Mannaz* s'enfonça de plusieurs centimètres dans la pierre sur laquelle il avait été gravé.

Guillemot eut alors le sentiment d'avoir fait tout ce qui pouvait être fait. Il se sentit tenaillé par une soif terrible. Il but avidement quelques gorgées d'eau à même le broc puis s'obligea à le reposer : maintenant qu'il avait élaboré une véritable déclaration de guerre à l'Ombre, il devait économiser ses maigres ressources.

8

Un champ
d'armures turquoise

Le palais du Prévost se dressait sur l'une des sept collines qui conféraient à la ville de Dashtikazar, tapie dans la baie, un relief singulier. Gérald traversa la grande place, lieu de cérémonies et de fêtes, et grimpa les escaliers monumentaux jusqu'au bâtiment où résidait et travaillait le premier personnage d'Ys.

Gérald était réellement soucieux. Il fit un signe distrait au Chevalier en faction devant la porte d'entrée, qui le salua respectueusement en retour, puis s'engagea dans les couloirs menant au bureau de celui qui était à la fois maire de Dashtikazar et préfet du pays tout entier.

Le Prévost était un homme d'un certain âge, plutôt grand. Il portait ses cheveux blancs coiffés en arrière. Son regard était resté vif. Plus jeune, il avait été un Qamdar, un chef de clan, sage et respecté, ce qui lui avait valu d'être élu par une très large majorité d'habitants. Le Prévost était, avec le Commandeur de la Confrérie, le Délégué des Marchands et Artisans et le Grand Mage de la Guilde, le personnage le plus puissant d'Ys. Le plus légitime, aussi, puisque, contrairement aux autres, il avait été élu par le peuple ! Mais il était aussi le plus fragile, puisque les gens d'Ys lui avaient seulement confié le pouvoir, et ils pouvaient donc le destituer et le remplacer, dans le cas où une nouvelle majorité le souhaiterait et le justifierait…

Le Prévost, prévenu de l'arrivée de Gérald par un assistant, vint lui ouvrir la porte lui-même. Le Sorcier informaticien ne quittait pas souvent Gifdu et, lorsqu'il le faisait, c'était toujours pour une raison importante...

– Entrez, Gérald. Vous vous faites trop rare en ville ! Je vous en prie, asseyez-vous.

Gérald se laissa tomber dans le fauteuil de cuir que lui désignait le Prévost, tandis que son hôte retournait s'asseoir derrière son bureau.

– Je vous écoute, Gérald. Que se passe-t-il ?

– Il se passe, Votre Honneur, que ce que nous redoutions s'est hélas produit : Guillemot a été enlevé ce matin et se trouve en ce moment même dans le Monde Incertain.

Une ride de profonde contrariété barra le front du Prévost.

– Comment cela est-il possible ? Qadehar n'était pas avec lui ?

– Je crois qu'il est de mon devoir de vous expliquer certaines choses, Votre Honneur..., annonça Gérald d'une voix gênée.

Et il raconta au Prévost, médusé, le projet de la Guilde d'attaquer l'Ombre dans son repaire, le massacre qui s'ensuivit devant la tour de Djaghataël, le procès qui condamna Qadehar, la fuite du Maître Sorcier à Troïl et son départ, avec Urien et Valentin, pour le Monde Incertain.

Quand il eut terminé, le Prévost donna libre cours à sa colère :

– Mais enfin ! De qui se moque-t-on ? Comment des événements aussi importants ont-ils pu avoir lieu sans que j'en sois averti ? Vous rendez-vous compte, Gérald ? C'est très grave !

– Je sais tout cela, Votre Honneur, dit-il, en tentant d'apaiser le Prévost. J'ai parfaitement conscience que la Guilde est allée trop loin. Mais aujourd'hui, les regrets sont inutiles. Il faut agir, et rapidement !

– Ne me cachez rien, Gérald. Que risque-t-il de se passer, si Guillemot tombe entre les mains de l'Ombre ?

– Pour vous parler franchement, je n'en sais rien, avoua le Sorcier.

– Comment ça, vous n'en savez rien ? s'étonna le Prévost.

– C'est la vérité, Votre Honneur, poursuivit Gérald en le regardant droit dans les yeux. Mais je suis sûr d'une chose aujourd'hui : la magie de cet enfant est exceptionnellement puissante. Nul doute que si l'Ombre désire à ce point Guillemot, c'est pour utiliser ses pouvoirs, et à des fins assurément mauvaises. Il est donc capital de le retrouver avant que cela ne se produise !

Le Prévost réfléchit un moment. Puis il se leva et se dirigea vers la porte.

– C'est une trop grande responsabilité pour moi, annonça-t-il. Je vais convoquer le Grand Conseil sur-le-champ…

– N'en faites rien, je vous en prie ! s'écria le Sorcier.

Le Prévost se figea et lança à Gérald un regard stupéfait.

– Il est impératif que cette affaire reste entre vous et moi, continua celui-ci en se mordillant les lèvres. Je vous demande de me faire confiance.

– Expliquez-vous, Gérald, commanda le Prévost d'une voix sèche.

– Qadehar et moi pensons qu'un ou plusieurs traîtres se cachent dans la Guilde…

Le Prévost continuait de le fixer, bouche bée.

– De mieux en mieux ! parvint-il à articuler. Alors, que proposez-vous ?

– Votre Honneur, demanda Gérald après un temps de réflexion, je ne vois qu'une solution : avez-vous confiance dans le Commandeur de la Confrérie ?

– Ma foi, c'est un homme fruste et entier, peu doué pour les subtilités de la politique, mais droit et entièrement dévoué à sa mission de Chevalier. Oui, j'ai confiance en lui.

– Guilde et Confrérie se sont toujours estimées, mais rarement comprises, et encore moins aimées, dit Gérald. Aujourd'hui, c'est à mes yeux une garantie : je crois effectivement que la Confrérie, au contraire de la Guilde, est restée étrangère aux manigances de l'Ombre.

– Parfait, conclut le Prévost en ouvrant la porte et en faisant signe au Chevalier de garde dans le couloir d'approcher. Je vais immédiatement faire demander le Commandeur, en lui intimant la plus grande discrétion.

– Qu'il fasse vite ! supplia Gérald. Je vous le répète : il y a urgence ! Le Pays d'Ys joue peut-être sa propre survie dans cette affaire !

– Je crains, hélas, fit le Prévost en se tournant vers lui, que rien ne soit possible avant demain matin. Il est déjà tard, et organiser une opération d'envergure ne se fait pas comme cela.

Le Sorcier soupira. Le temps jouait contre eux.

Pelotonné dans son manteau, Gérald sautillait sur place pour se réchauffer. L'aube se levait à peine, succédant à l'heure la plus froide de la nuit.

Le Prévost avait su se montrer efficace : environ deux cents Chevaliers étaient rassemblés avec armes et bagages sur la colline aux Portes, et la lumière du jour naissant révélait un véritable champ d'armures turquoise. Le Prévost et le Commandeur s'approchèrent du Sorcier.

– Voici les hommes qui nous accompagneront dans le Monde Incertain, annonça d'une voix rauque celui qui commandait les hommes de la Confrérie. C'est tout ce que je peux faire : ce serait une erreur de vider le Pays d'Ys de tous ses Chevaliers. L'Ombre pourrait en profiter...

Le Commandeur était un colosse qui égalait en taille Urien de Troïl. Comme Gérald, il avait dépassé la quarantaine. Son visage, taillé à la serpe, arborait de nombreuses cicatrices. C'était un Chevalier valeureux, qui avait fait ses preuves sur les champs de bataille. Le Prévost continua :

– Le Commandeur dirigera l'opération. Mais vous en resterez le guide, et il n'entreprendra rien sans vous consulter.

– Cela me convient, répondit Gérald en lançant un regard franc au colosse. Je sais que je peux vous faire confiance, Commandeur. Vous avez maintes fois prouvé votre loyauté lors des incursions de l'Ombre à Ys. Vos hommes vous respectent : je ferai pareil.

Le Chevalier parut sensible aux paroles d'amitié de Gérald et, tout naturellement, il lui tendit la main. Le Sorcier la serra et le remercia de prendre part directement à l'opération.

– C'est mon rôle, et mon honneur, d'être en première ligne avec mes hommes, s'excusa presque le Commandeur.

– Bien, intervint le Prévost pour couper court aux politesses. Gérald, qu'attendons-nous ?

– Faire passer la Porte à deux cents Chevaliers ne sera pas chose facile, expliqua-t-il avec un sourire amusé. J'ai demandé au seul Sorcier disponible et en qui j'ai totalement confiance de venir m'aider. Il ne devrait pas tarder...

Quelques instants plus tard, une silhouette se détacha au loin sur la colline. Bientôt ils distinguèrent, perché sur le dos d'une mule poussive, un vieil homme habillé du manteau sombre de la Guilde. Il s'avançait vers eux tout en râlant après sa monture.

– C'est la dernière fois que je fais le trajet depuis Gifdu avec un animal aussi têtu ! dit-il en s'approchant.

– Qadwan ! Quel plaisir de te revoir ! s'exclama Gérald en lui donnant une petite tape dans le dos.

Qadwan était le Maître du gymnase de Gifdu. C'était un

vieil homme mais, pour son âge, il était particulièrement en forme.

– Alors, tu t'es décidé ? lui demanda Gérald.

– Crois-tu que j'ai hésité longtemps ? Savoir Guillemot en danger me hérisse le poil depuis hier soir ! Et puis, quand un ami a besoin d'aide...

– Tu vas avoir l'occasion de m'en apporter, crois-moi. Faire fonctionner cette fichue Porte ne sera pas une partie de plaisir !

Les deux Sorciers, suivis du Prévost et du Commandeur, s'approchèrent de la Porte du Monde Incertain, sous les regards à la fois curieux et inquiets des Chevaliers.

Gérald et Qadwan se positionnèrent chacun près d'un montant de la Porte monumentale. Puis Gérald s'adressa aux Chevaliers :

– Nous allons ouvrir la Porte, et pas seulement l'entrouvrir, comme nous le faisons d'habitude ! Il ne faudra pas perdre de temps : vous l'emprunterez l'un après l'autre, sans hésiter, et au pas de course ! Comme les parachutistes du Monde Certain qui sautent d'un avion.

Les hommes rirent et se détendirent un peu.

– Bon, qui veut passer en premier ? demanda Qadwan.

– Moi, Maître Sorcier, dit un Chevalier blond et élancé en s'avançant d'un pas.

– Moi aussi ! fit un autre, brun et trapu en le rejoignant.

– Ambor et Bertolen ! commenta le Commandeur avec un petit sourire. Ça ne m'étonne pas.

– On y va ? demanda Gérald en interrogeant du regard le Prévost.

– Oui, répondit-il d'une voix émue. Que les Graphèmes veillent sur vous, Maîtres Sorciers ! Que le vent de la lande vous accompagne, Commandeur ! Et surtout, bonne chance !

– Nous en aurons besoin, soupira Gérald en appelant à lui les Graphèmes.

9
THOMAS PREND
LES CHOSES EN MAIN

– J'ai faim !

– Tu n'avais qu'à déjeuner mieux ce midi.

– Je n'avais pas faim. Romaric, sois gentil ! C'est l'heure du goûter de toute façon, donne-moi un sandwich.

– Mais, Coralie, on a dit qu'on ne mangerait qu'une fois dans le Monde Incertain. Allez, un peu de courage…

– Vous vous dépêchez, tous les deux ? intervint Ambre d'un air exaspéré, en se tournant vers sa sœur et Romaric, en queue du groupe.

– Ça va, on arrive, râla Coralie. Ce n'est pas ma faute si le sac que je porte pèse une tonne ! Si au moins j'avais celui des sandwiches… Et puis, pourquoi tu ne rouspètes pas aussi après Bertram ? Il est encore plus loin que nous !

Bertram, en effet, traînait un peu la jambe et lançait sur ses compagnons des regards de chien battu. Il n'avait pas l'air très pressé de les rattraper…

– Tu peux accélérer un peu l'allure, Bertram ? Merci ! hurla Ambre, excédée.

– Oui, oui, j'arrive, maugréa le Sorcier, sans se presser pour autant.

La petite équipe avait quitté Dashtikazar dans l'après-midi. La veille, Agathe les avait emmenés dans la somptueuse maison que ses parents possédaient dans un quartier résidentiel de la capitale. Elle avait fouillé dans la garde-robe de son père pour trouver des vêtements chauds aux garçons, et ouvert la sienne aux jumelles. Puis elle avait dévalisé le réfrigérateur et le garde-manger, avant de s'attaquer à la remise où était rangé le matériel de montagne et de camping.

Une fois équipés, ils constatèrent que la nuit était tombée. Ils dormirent donc sur les tapis épais de la vaste chambre d'Agathe, enroulés dans les duvets et couvertures récupérés dans la remise.

Hormis Bertram, qui resta dans son coin, ils évoquèrent longuement leurs aventures à Ys et dans le Monde Incertain, qu'ils avaient toutes partagées avec Guillemot…

Leur réveil fut évidemment tardif et, le temps d'un solide petit déjeuner que seule Coralie avait boudé, ils avaient pris la route de la colline aux Portes…

– On sera bientôt en vue des Portes, prévint Gontrand en baissant un peu la voix. Il serait prudent de faire moins de bruit.

– Tu as compris ? demanda Ambre à sa sœur en la fusillant du regard.

Celle-ci fit mine de se coudre les lèvres, pour signifier qu'elle resterait désormais muette comme une carpe.

Ils avancèrent en silence jusqu'au gros rocher derrière lequel certains d'entre eux s'étaient déjà abrités, l'été dernier, en attendant que Guillemot neutralise les gardes. Puis ils observèrent les alentours : un seul Chevalier gardait les deux Portes.

– C'est du gâteau ! jubila Ambre. Bertram va appeler le Graphème qui arrête le temps et le tour sera joué : on passera devant le gardien comme si on était invisibles ! Pas vrai, Bertram ?

– Hum…

– Quoi, hum ?

Le jeune Sorcier déglutit avec peine.

– Eh bien, je… je ne l'ai encore jamais fait, et je ne sais pas si…

– Rassure-moi, Ambre, dit Romaric : c'est bien Bertram qui est censé ouvrir la Porte vers le Monde Incertain ?

– Oui, et je te jure qu'il va le faire !

– Du calme, du calme, se défendit-il. La Porte, c'est… c'est plus facile !

– Tu te moques de nous ? demanda Agathe.

– Non, soupira-t-il. Je ne peux pas vous expliquer, mais utiliser un Graphème dans le vide, c'est plus compliqué qu'activer un Graphème gravé sur une Porte.

– J'ai l'impression que tu ne nous dis pas tout…, continua Gontrand d'un ton soupçonneux.

– Si, enfin, non ! balbutia le Sorcier. Je suis sûr d'être capable de réveiller les Graphèmes de la Porte… Mais après, je ne sais pas si mon *Önd*, mon énergie intérieure, sera suffisante pour l'ouvrir.

– Tu le sauras quand ? interrogea Ambre en tentant de maîtriser sa colère.

– Quand j'aurai touché la Porte…

– Et le truc avec le Chevalier, demanda Coralie, tu sais, le truc pour le figer comme une statue ? Ce n'est vraiment pas possible ? Je trouvais ce tour excellent !

– Je crois que… qu'il vaut mieux laisser tomber, murmura Bertram en baissant les yeux.

– Pas question ! s'insurgea Romaric. On ne va pas renoncer avant même d'avoir commencé !

– Tu as autre chose à nous proposer ? rétorqua Agathe, d'un ton acide. Notre seul espoir, c'était ce Sorcier, qui décidément n'est bon que dans les situations qui se règlent avec une arme. Et il n'a même plus d'arme, il l'a jetée à la mer !

– Tu es dure et injuste avec lui ! s'écria Coralie. Il nous a quand même sauvé la vie, contre les Korrigans...

– Tais-toi et laisse parler Romaric, lui intima sa sœur.

Romaric, gêné, leva les mains en signe d'impuissance. Il n'avait pour l'instant aucune solution à proposer.

Thomas intervint alors :

– Il faut lui tomber dessus et le ficeler comme un saucisson.

– Pardon ? lâcha Gontrand, ébahi.

– Je ne suis pas d'accord ! dit Coralie, rouge d'indignation. Bertram ne mérite pas que...

– Je parlais du Chevalier, précisa Thomas.

– Tu suggères de... Non, ce ne serait pas correct ! réagit Romaric, horrifié.

– Oh, on a assez discuté comme ça, répliqua Thomas en se redressant. Guillemot est peut-être en danger de mort, et vous, vous hésitez à vous remuer !

– Il a raison, acquiesça Ambre. Thomas, je suis avec toi.

– Hé, Ambre, calme-toi ! tenta de la raisonner Romaric. Dès qu'on prononce le nom de Guillemot, tu perds complètement la tête !

– Qu'est-ce qu'on attend pour y aller ? demanda Agathe en se redressant à son tour.

– Oui, tudieu, sus au Chevalier ! ajouta Bertram en se joignant à eux, trop heureux qu'il ne soit plus question de magie.

Les quatre téméraires, surgissant de derrière le rocher, s'élancèrent en hurlant en direction du malheureux Chevalier qui n'en crut pas ses yeux. Il les regarda se précipiter vers lui, bouche bée. Il se demanda à quelle sorte de jeu jouaient ces enfants.

– Allez, soupira Romaric, on n'a plus le choix : il faut aller aider ces imbéciles.

Suivi de Gontrand et de Coralie, il emboîta le pas de ses amis.

– Pourquoi on ne crie pas, nous ? demanda Coralie.

– Parce que... enfin... Écoute, crie si ça te fait plaisir, répondit Romaric, désemparé.

– YAHAAAAAA !

Le Chevalier, stupéfait, ne se méfia pas au moment où les sept jeunes gens foncèrent droit sur lui. Et, quand ils lui attrapèrent les jambes, il s'effondra par terre. Il n'avait pas eu le réflexe de se défendre.

– Je tiens sa jambe droite ! hurla Bertram, quand leur victime se trouva sur le dos.

– Moi la gauche ! cria Gontrand.

– J'ai son bras ! dit Romaric.

– Moi aussi ! dit Coralie.

Thomas s'était carrément assis sur le dos de l'homme.

– Mais enfin... qu'est-ce que... enfin ! se contentait de répéter le Chevalier, qui avait largement l'âge d'être leur père.

Finalement, Ambre sortit une corde et une chaussette de son sac. Aidée par Agathe, elle ligota le Chevalier et le bâillonna avec la chaussette.

– Ce n'est pas la peine de faire cette tête-là, elle est propre ! le rassura Ambre.

Puis ils abandonnèrent le pauvre Chevalier ligoté et s'approchèrent de la Porte du Monde Incertain.

– Si Bertram échoue, on est perdus, on ne pourra plus rien faire, grommela Agathe.

– On pourra toujours essayer de présenter nos excuses à ce pauvre Chevalier..., répliqua Romaric.

– Oh, ça suffit ! le coupa Ambre. Tu sais bien qu'on n'avait pas le choix !

– Taisez-vous ! intervint alors Coralie. Bertram a besoin de silence pour se concentrer ! Si jamais il arrive à ouvrir la Porte, j'aimerais bien que, cette fois, on fasse le voyage tous ensemble !

Bertram s'approcha de la Porte monumentale qui

conduisait au Monde Incertain. Elle était, comme celle menant vers le monde réel, très haute et très large. Sur le bois de chêne étaient gravés des centaines de Graphèmes. Le Sorcier toucha d'une main tremblante les signes qui activaient le sortilège de passage. À sa grande surprise, ils étaient chauds et s'allumèrent sans rechigner ! Comment aurait-il pu savoir que, quelques heures plus tôt, deux cents Chevaliers avaient emprunté la Porte, et avaient laissé encore frémissant le passage vers l'autre Monde ? Bertram ressentit un immense soulagement. Il se tourna vers ses compagnons et annonça avec un aplomb retrouvé :

– Je crois qu'il n'y aura pas de problème…

10

LA CÔTE HURLANTE

Le voyage des hommes de la Confrérie entre les deux Mondes s'était déroulé sans anicroches. Les Chevaliers, peu habitués aux choses de la magie, s'étaient comportés courageusement, mais c'est avec un soulagement évident qu'ils avaient retrouvé la terre ferme de l'Ile du Milieu. Quant aux Maîtres Sorciers, ils étaient épuisés ; ouvrir, puis maintenir ouverte la Porte vers le Monde Incertain avait exigé d'eux une énergie considérable. Ils prirent donc le temps de se reposer, et le Commandeur en profita pour expliquer à ses hommes les enjeux de l'opération à laquelle ils participaient...

Soucieux en effet d'éviter toute fuite qui aurait pu alerter les espions de l'Ombre à Ys, le Prévost avait recommandé au Commandeur la plus grande discrétion, et les Chevaliers ignoraient donc l'enlèvement de Guillemot. Lorsqu'ils l'apprirent de la bouche de leur chef, ils réagirent avec vivacité...

– S'en prendre à un enfant ! gronda l'un d'eux.

– Et pas n'importe lequel ! renchérit Bertolen.

Il avait eu l'occasion de prendre Guillemot en croupe pour le conduire à Bromotul, où il allait voir son cousin.

– Si elle me tombe entre les mains, l'Ombre passera un sale quart d'heure, bougonna Ambor, l'équipier de Bertolen.

– Qu'est-ce qu'on attend pour aller tirer Guillemot des griffes de ce démon ? lança un autre, qui visiblement bouillait d'impatience.

– Chevaliers, répondit le Commandeur avec des gestes d'apaisement, je comprends votre émotion et votre colère. Mais nous devons garder la tête froide : nous nous trouvons à présent dans un monde dangereux, où l'Ombre est très puissante. Ne nous laissons pas emporter ! C'est à ce prix seulement que nous serons efficaces, et que nous pourrons vraiment aider Guillemot.

– Le Commandeur a raison, confirma d'un ton soucieux Gérald, qui les avait rejoints. D'autant que nous ne savons même pas où chercher Guillemot !

– Comment allons-nous faire, alors ? demanda Bertolen au Sorcier.

– Nous devons commencer par quitter cette île, où Guillemot ne se trouve visiblement pas, et où notre marge de manœuvre est plutôt réduite, répondit Gérald.

– Je me charge de ça, dit le Commandeur. Ambor, Bertolen, avec moi ! Les autres, tenez-vous prêts à partir.

L'Ile du Milieu ressemblait à un gros nénuphar. Plate et rocailleuse, battue par les vagues et fouettée par le vent, elle aurait dû rester déserte. Pourtant, elle était occupée par une petite communauté de pêcheurs, réunis pour la plupart dans un village sans fortifications. Grâce à la présence au large des Brûleuses, les méduses auxquelles Romaric avait une fois échappé de justesse, l'île était en effet à l'abri des Gommons et autres monstres marins ! En l'absence de toute végétation terrestre, les pêcheurs vivaient de ce que leur donnait la mer : des algues et des poissons en abondance.

Le Commandeur laissa les hommes se rassembler et partit en direction du village négocier leur passage vers les côtes.

Gérald retourna auprès de Qadwan, qui avait du mal à se relever.

– Ouf! grimaça le vieux Sorcier. Tout cela n'est plus de mon âge!

– Je n'aurais jamais réussi à faire passer tous ces Chevaliers sans toi, le remercia Gérald en lui serrant affectueusement l'épaule.

– En échange, j'exige des vacances à tes frais dans les Montagnes Pourpres! plaisanta Qadwan.

– Et tu abandonnerais ton gymnase à la turbulence des Apprentis?

– Par les esprits de Gifdu, bien sûr que non! bougonna-t-il. Bon, laisse-moi encore quelques minutes pour émerger complètement.

– Requête accordée. De toute façon, il me faut le temps d'entrer en contact avec Qadehar... Quelle bonne idée il a eue de venir jusqu'ici avec Valentin et Urien... Dans cette aventure, nous avons besoin de tout le monde. Et de lui plus que quiconque!

Gérald ferma les yeux et construisit autour de *Berkana* un sortilège de communication mentale, en prenant soin d'appeler les Graphèmes sous leur forme incertaine. Encore fatigué par les efforts déployés pour ouvrir la Porte, il eut de la peine à joindre Maître Qadehar... qui n'en crut pas ses oreilles lorsqu'il reconnut la voix de Gérald. Son ami Sorcier lui fit un rapide compte rendu de la situation et lui apprit la disparition de Guillemot.

Qadehar ne laissa rien paraître de la colère et de l'inquiétude qui l'envahirent. Il proposa avec son calme habituel de rejoindre l'armée des Chevaliers en compagnie d'Urien et de Valentin, et de mettre leurs ressources en commun.

Gérald fut soulagé de savoir que serait bientôt à leurs côtés le plus puissant des Sorciers de la Guilde; le Monde Incertain n'était pas à prendre à la légère!

Qadehar et ses deux compagnons se trouvant déjà sur la Garrigue Rousse, ils décidèrent de se rejoindre sur les hauteurs de la Côte Hurlante.

Peu après, le Commandeur revint avec une bonne nouvelle : moyennant quelques pierres précieuses – en abondance dans les coffres de la Prévosté d'Ys et dont les Chevaliers s'étaient heureusement et largement munis – les pêcheurs acceptaient de mettre à la disposition de l'armée surgie de nulle part tous les bateaux qui lui seraient nécessaires.

Le temps de charger une vingtaine de grosses barques en hommes et matériel, et l'armada turquoise quitta les côtes.

La traversée se déroula sans histoires, si ce n'est l'apparition d'un banc de Brûleuses qui provoqua une vive émotion chez les Chevaliers, étrangers au monde de la mer et de ses dangers. Gérald se demanda pour la première fois avec étonnement pourquoi Ys n'avait jamais eu de marine. La réponse lui vint rapidement, lumineuse : tout simplement parce qu'aucun ennemi n'était jamais venu d'un océan au milieu duquel le Pays d'Ys était isolé !

Au terme d'une traversée qui parut interminable aux Chevaliers, ils débarquèrent enfin à l'extrémité nord-ouest de la Côte Hurlante. En ordre de marche, conduits par les deux Sorciers, les deux cents Chevaliers quittèrent sans regret le rivage et prirent la direction de l'est. La brise violente et glacée qui les saisit brusquement dans l'étrange Garrigue Rousse acheva de leur rendre leur bonne humeur : ils se sentaient à nouveau en terrain connu, un peu chez eux, dans les vents vivifiants de la lande.

Ils s'arrêtèrent pour reprendre des forces à l'abri d'un mouvement de terrain. Gérald leur parla du Monde Incertain, tandis qu'ils mâchonnaient leur ration de pain. Ils repartirent et marchèrent d'un bon pas une partie de l'après-midi, se donnant du courage en entonnant des chants du Pays d'Ys.

Qadwan aperçut le premier la fumée d'un feu, au loin.

– Ce doit être Qadehar, dit Gérald au Commandeur.

Pour ne pas prendre de risques, ils décidèrent d'attendre et d'envoyer des hommes en éclaireurs. Ceux-ci ne tardèrent pas à revenir.

– Trois hommes, dont deux portant l'armure de la Confrérie et un arborant le manteau de la Guilde, annonça le chef du commando. Assis autour d'un feu. Zone de rochers, déserte.

– Qadehar, Urien et Valentin ! s'exclama joyeusement Gérald. Tout va bien, Commandeur !

Quelques instants plus tard, l'armée venue d'Ys rejoignait les trois hommes. Les retrouvailles furent joyeuses. Urien de Troïl distribua de grandes claques sur l'épaule des vétérans et pinça la joue des plus jeunes en riant de son rire tonitruant. Valentin serra longuement la main du Commandeur qui avait été son élève dans la salle d'armes de Bromotul, et Qadehar embrassa, ému, ses deux condisciples de Gifdu.

– Merci, merci, mes amis, d'avoir réagi si vite ! Avec l'aide des Chevaliers, nous avons de bonnes chances de sauver Guillemot...

Gérald lui adressa un sourire réconfortant. Mais il connaissait bien Qadehar, et il voyait à quel point le Sorcier était inquiet pour son Apprenti.

– Nous camperons ici cette nuit, déclara le Commandeur. Ambor, organise les tours de garde, Bertolen, fais monter le camp ! Moi, je m'installerai près du feu, avec nos amis.

Le campement des Chevaliers, protégé par une garde vigilante, fut vite dressé. Chacun possédait dans son équipement une pièce de toile qui, assemblée avec celle d'un ou de plusieurs compagnons, constituait une partie de tente.

Le Commandeur, Urien et Valentin, Ambor et Bertolen, Qadehar, Gérald et Qadwan se retrouvèrent près du feu, au centre du camp. Bertolen fit passer une gourde remplie de vin doux, à laquelle ils burent chacun leur tour au goulot.

– Je vous présente Ambor et Bertolen, les plus vaillants de mes Chevaliers, dit le Commandeur en les désignant. Ils seront mes capitaines durant cette campagne. Je n'ai pas besoin de vous présenter Urien et Valentin : tout le monde dans la Confrérie connaît la légende des fameux Don Quichotte !

Tous éclatèrent de rire, et Urien et Valentin gloussèrent en entendant leur surnom du temps où ils étaient encore des Chevaliers en activité.

– Maintenant, poursuivit le Commandeur, passons tout de suite à l'essentiel. Maître Qadehar, Maître Gérald, Maître Qadwan : nous vous écoutons.

Qadehar, le visage sombre, était perdu dans ses pensées. Gérald se racla la gorge et prit la parole :

– Guillemot s'est fait enlever non loin de Troïl par un individu maîtrisant les pratiques magiques, et qui a pris l'apparence de mon élève Bertram. Tout porte à croire qu'il s'agit, sinon de l'Ombre elle-même, du moins de l'une de ses créatures. Si j'ai insisté auprès du Prévost pour déclencher l'opération à laquelle vous participez aujourd'hui, une opération sans équivalent dans l'histoire d'Ys, c'est parce que je pressens un grand danger. Un grand danger pour Guillemot. Et un grand danger pour nous tous...

Un silence accueillit les paroles du Sorcier. Que Guillemot puisse être en danger, personne n'en doutait : l'Ombre n'avait-elle pas essayé de s'emparer du garçon à plusieurs reprises ? Et si un être aussi maléfique que l'Ombre le désirait à ce point, ce n'était pas pour lui offrir un chocolat chaud ! Chacun d'entre eux, et même Urien, sans qu'il eût besoin de l'exprimer, avait conscience que leur destin et celui du jeune Apprenti étaient inextricablement liés...

– C'est au moins une bonne chose que les amis de Guillemot ne soient pas de l'aventure ! grommela Valentin.

– J'ai personnellement veillé à ce qu'ils restent sagement chez eux, confirma Gérald d'un air satisfait. Ces enfants sont capables de se fourrer dans les situations les plus incroyables !

– Et maintenant ? s'enquit Agathe en jetant des regards curieux aux alentours de la Porte par laquelle ils avaient abordé le Monde Incertain.

– Maintenant, il faut trouver un endroit où passer la nuit, répondit Romaric en soutenant Bertram.

Le jeune Sorcier était épuisé par son effort pour ouvrir le passage magique.

– Il y a des maisons, là-bas, au bord de l'eau, proposa Gontrand.

– Certainement des maisons de pêcheurs, acquiesça Romaric. Allons-y ! Bertram doit absolument se reposer...

– Il n'a pas l'air très frais, en effet ! confirma Coralie.

– Vous êtes drôles, bougonna faiblement le jeune Sorcier. Je voudrais bien vous y voir... La prochaine fois, vous vous débrouillerez tout seuls...

La petite bande prit la direction du village que leur avait montré Gontrand.

Ils furent accueillis par quelques pêcheurs plutôt méfiants. Quand ils se rendirent compte qu'il s'agissait seulement d'enfants, ils se détendirent. Les femmes, de leur côté, ne purent se retenir de proférer des mots très durs à l'encontre des mères qui laissaient leur progéniture vagabonder n'importe où. Elles leur concoctèrent néanmoins un repas copieux à base de poisson et de coquillages.

– Je n'avais encore jamais vu autant de gens à la Porte, dit un pêcheur en crachant sur le sol.

Il était petit et sec, et semblait être le chef du village.

– Et tu n'avais encore jamais gagné autant de pierres précieuses ! lança joyeusement un autre homme.

Le pêcheur ricana.

– Vous voulez dire que d'autres personnes sont venues depuis Ys avant nous ? s'étonna Romaric.

– Je ne sais pas d'où ils venaient, mais ils étaient sacrément nombreux. Deux cents, environ. Et pas légers, avec ça ! Faut dire qu'en armure, on pèse son poids !

Les autres pêcheurs gloussèrent.

– Génial ! s'enthousiasma Coralie. Ça veut dire que Gérald a réussi à convaincre le Prévôt ! Les Chevaliers du Vent sont ici, dans le Monde Incertain, et ils vont délivrer Guillemot !

– Tu as sans doute raison, dit Ambre, qui semblait malgré tout un peu déçue. On peut dire que c'est génial...

Elle n'avait pas l'air convaincue.

Ils avaient répondu avec enthousiasme à la proposition de Romaric en étant persuadés que personne d'autre ne se porterait au secours de Guillemot. Ils avaient donc ressenti, en quelque sorte, le devoir d'agir ainsi. Or, deux cents Chevaliers, conduits par un Maître Sorcier, les avaient devancés, et rendaient du même coup leur épopée dérisoire...

– Qu'est-ce qu'on fait ? demanda Thomas.

– Il y a deux solutions : soit on repart tout de suite à Ys et on laisse aux Chevaliers le soin de régler cette affaire, soit on essaie de leur apporter notre aide...

– Puisqu'on est là, autant choisir la deuxième solution, proposa Romaric.

– Je suis d'accord, dit Gontrand tandis que les autres approuvaient en grognant. Mais quelle aide pouvons-nous apporter à des Chevaliers ?

Ambre prit le temps d'interroger le chef du village, puis elle se tourna vers ses compagnons :

– Ils ont presque une journée d'avance sur nous. Attendons demain pour contacter Gérald avec la magie de Bertram ! Nous verrons bien comment il réagira.

– De toute façon, ouvrir de nouveau la Porte ou parler dans la tête de quelqu'un, Bertram en est bien incapable ce soir ! dit Agathe en montrant d'un signe de tête le jeune Sorcier qui s'était endormi dans un coin de la petite pièce qu'on leur avait prêtée pour la nuit.

– Et si Gérald pique une grosse colère ? s'inquiéta Coralie.

– On lui fera croire qu'il y a de la friture sur la ligne magique, qu'on ne l'entend pas très bien, et on raccrochera, dit Ambre posément. Ensuite, nous conduirons les choses à notre guise. Comme Coralie et vous tous, je trouve que la présence des Chevaliers dans le Monde Incertain est une excellente nouvelle ! Mais quelque chose me dit que la partie ne sera pas facile…

– Tu as raison, s'emballa Thomas. Romaric, Gontrand, Coralie et toi, vous connaissez mieux le Monde Incertain que Gérald et n'importe lequel des Chevaliers. Guille-mot peut avoir besoin de votre expérience autant que de la force de la Confrérie !

– Tu sais que tu n'es pas bête, toi ! dit Ambre au gar-çon roux en lui donnant une bourrade amicale. D'autant que le pêcheur à qui j'ai parlé est d'accord pour nous conduire avec sa barque, moyennant quelques pierres précieuses, à l'endroit où il a déposé les hommes de la Confrérie…

La proposition d'Ambre fut soumise au vote. Elle recueillit l'unanimité moins une voix, celle de Bertram, que ses amis ne parvinrent pas à réveiller.

11
PREMIÈRE CONFRONTATION

Guillemot avait essayé de mesurer le temps qui passait, mais y avait finalement renoncé. La lumière qui filtrait à travers la lucarne était trop faible pour que l'on devine si elle était le fait du soleil ou d'un éclairage artificiel. L'Apprenti Sorcier n'était néanmoins pas plongé dans l'obscurité : les parois bleutées de son Armure d'*Ægishjamur* savamment modifiée et les flammes rougeâtres dégagées par les branches de *Hagal* inondaient le cachot d'une lumière douce et étrange. Pour un peu, Guillemot aurait presque été rassuré : qui disait lumière disait sortilège en état de fonctionner !

Mais il se sentit progressivement gagné par l'appréhension, et se mit à imaginer tous les scénarios possibles. L'Ombre allait certainement déchaîner contre lui les ressources infinies de sa puissance magique. Ou bien elle le ferait attendre une éternité... En admettant qu'elle ne parvienne pas à franchir ses défenses, qu'est-ce qui l'empêcherait de l'affamer, comme le faisaient les armées en assiégeant les villes ?

Quelque chose cependant lui disait que l'Ombre serait incapable d'attendre. Il avait essayé de se représenter son ennemi, mais il n'avait réussi qu'à entrevoir une tache floue, sans forme précise. Sans qu'il sache pourquoi, il devinait que l'Ombre était impatiente. Il en était sûr ! C'est la raison pour laquelle il ne fut qu'à moitié surpris lorsqu'elle pénétra dans la pièce...

Guillemot ne distingua d'abord rien. Il entendit simplement la porte s'ouvrir et se refermer. Les murs troubles de son rempart magique l'empêchaient de bien voir. Puis il aperçut quelque chose, tout près, de l'autre côté de l'Armure d'*Ægishjamur*. Une ombre. Un voile de ténèbres, qui se détachait dans la semi-obscurité de la pièce, et que la lumière semblait vouloir éviter.

Un chuchotement terrifiant le fit frissonner des pieds à la tête :

– Bienvenue à toi... mon garçon... mon cher garçon...

La voix était caverneuse, puissante. Guillemot resta d'abord interdit. Il dut faire appel à tout son courage pour articuler une réponse :

– Êtes-vous... Êtes-vous l'Ombre ?

La silhouette de ténèbres ricana. Guillemot s'aperçut qu'elle avait bougé. On aurait dit qu'elle flottait. L'Ombre tournait autour de la protection magique. Elle cherchait une faille dans ses sortilèges !

– C'est le nom... qu'on me donne... d'où tu viens...

Guillemot vit l'Ombre tâtonner le long de la paroi translucide. Aux endroits qu'elle touchait, la lumière baissait d'intensité. Il sentit une vague de panique le submerger.

– Qu'est-ce que vous voulez ?

Il avait crié. L'Ombre s'immobilisa, une seconde durant. Elle avait l'air satisfaite.

– Bien... bien... Tu as peur... et tu cherches à savoir... Je n'aurai peut-être pas... à perdre mon temps... contre tes sortilèges...

L'Ombre recula. La vue de Guillemot se brouilla curieusement, et il ne la vit plus. Mais elle était toujours là. Il la sentait. Il captait sa présence maléfique, à la façon dont on perçoit l'humidité ou le renfermé dans une pièce. Il ne put s'empêcher de sursauter quand de nouveau il entendit sa voix.

– Mon garçon... mon cher garçon... Pourquoi nous affronter... Fais-moi donc confiance...

– Vous avez attaqué mon pays ! Vous avez tué des gens ! Vous m'avez enlevé !

Guillemot avait encore crié. Il sentait bien que, s'il essayait de parler normalement, ses mots s'étrangleraient dans sa gorge.

– Tss tss..., susurra l'Ombre avec une pointe de moquerie. Tu parles... de détails... C'est parce que... tu ne sais pas... ce que j'ai à t'offrir...

– Je ne veux rien de vous ! Vous me dégoûtez !

– Allons... mon cher garçon... Je t'apporte les Trois Mondes... sur un plateau...

– Taisez-vous ! Taisez-vous !

Guillemot s'accroupit et se boucha les oreilles des deux mains pour ne plus entendre cette voix qui s'insinuait en lui et lui glaçait les entrailles.

– Pourquoi as-tu peur de moi ?... Moi qui t'offre la puissance... qui te propose une alliance...

Dans une ultime tentative de défense, Guillemot hurla :

– Jamais ! Jamais ! Je vous déteste ! Vous êtes pire qu'un Ork !

L'Ombre sembla piquée au vif. Elle s'avança et, d'un geste de colère, lança contre l'Armure une boule de ténèbres qui semblait sortie du néant. La boule remplie d'une sombre magie s'écrasa contre le mur d'énergie et commença à grésiller. Curieusement, cette attaque imprévisible de l'Ombre effraya moins Guillemot que le son caverneux de sa voix.

– Jeune imbécile... Ne me provoque pas... Et ne m'insulte plus jamais... De toute façon... tu seras à moi... Comme allié... ou comme esclave... Réfléchis à ma proposition... Réfléchis bien... Je reviendrai bientôt...

La porte du cachot se rouvrit et se referma. L'Ombre était partie.

Guillemot ferma les yeux et chercha à calmer les battements de son cœur. Il tremblait de tous ses membres. Jamais encore il n'avait eu aussi peur. L'Ombre dégageait une telle puissance! Il se rendait compte que sa propre volonté était capitale pour contrer le plan maléfique de l'Ombre: s'il n'avait pas résisté, elle aurait balayé ses défenses d'un revers de manche, et l'aurait contraint à faire tout ce qu'elle désirait. Mais Guillemot devinait qu'il n'aurait jamais la force de tenir indéfiniment... Il se recroquevilla et, face à son impuissance, éclata en sanglots.

Donner libre cours à ses larmes le soulagea; peu à peu, la panique et la peur s'estompèrent. Bientôt, Guillemot se sentit apaisé, et il put recouvrer ses esprits. Il se redressa et but une gorgée d'eau. Puis il s'approcha de l'endroit où la boule de ténèbres avait frappé l'Armure d'*Ægishjamur*.

Il fronça alors les sourcils et observa attentivement les derniers lambeaux d'obscurité. Au contact de la protection magique, ceux-ci disparaissaient lentement en grésillant.

L'espoir revint alors en lui avec force, et ce qu'il vit le fit tituber: son rempart était intact! Rien, pas une égratignure! Ce qui signifiait que... l'Ombre avait fait le tour de l'Armure, et en avait testé la solidité. Ensuite, elle lui avait proposé une alliance. Ce n'était pas par gentillesse qu'elle lui avait fait cette proposition: c'était parce qu'elle n'était pas sûre de venir à bout de ses protections. L'Ombre avait failli réussir à le convaincre de se rendre... Mais, en s'énervant et en envoyant contre lui ce sortilège manqué, elle lui avait fourni la preuve qu'elle n'était pas toute-puissante, et que rien n'était encore joué.

Il retourna s'asseoir sur *Mannaz*, rasséréné, et cette fois presque content de lui.

12

LE BOIS DES PENDUS

Au petit matin, les jeunes amis de Guillemot avaient eu un réveil plutôt difficile. Il leur avait fallu un moment pour se rappeler qu'ils se trouvaient dans le Monde Incertain, sur l'Ile du Milieu, au cœur d'un village de pêcheurs, et un moment plus long encore pour s'extirper de leurs duvets. Ils avaient entamé leur casse-croûte, assis sur des rochers, au bord de l'eau. Bertram se sentait reposé et affichait meilleure mine que la veille. Mais lorsqu'il tenta de contacter Gérald par l'entremise d'un sortilège de communication, il fut pris de maux de tête qui l'empêchèrent de pratiquer sa magie.

– Ce n'est pas grave, avait dit Ambre. De toute façon, le plan B prévoit que l'on prenne l'initiative.

Une barque les avait donc conduits jusqu'à la Côte Hurlante, à l'endroit même où les Chevaliers avaient débarqué la veille.

La Côte Hurlante devait son nom à la présence de nombreux Gommons, ces créatures cruelles à l'apparence humaine, aux cheveux d'algues et à la peau écailleuse, qui aimaient accompagner le mugissement des vagues les nuits de tempête avec leurs terrifiants hurlements...

Agathe avait payé le pêcheur avec des pierres précieuses qu'elle avait trouvées chez ses parents. Ils avaient ensuite quitté le rivage sans tarder.

Les traces laissées par les hommes de la Confrérie étaient parfaitement visibles.

– Ça sera un jeu d'enfant de les suivre, marmonna Thomas.

Son père était chasseur, et il s'y connaissait en matière de pistes.

Ils étudièrent la carte du Monde Incertain qu'Ambre avait extraite de son sac. Elle l'avait recopiée sur celle de Guillemot l'été dernier, et elle avait eu la présence d'esprit de l'emporter en quittant Krakal pour Dashtikazar. Aucun doute : les Chevaliers se dirigeaient plein sud.

Ils se mirent en route parmi les herbes rousses de la garrigue, qui crissaient et craquaient sous leurs pas.

– Tu crois que Qadehar sera furieux contre nous ? demanda Coralie qui marchait à côté de Gontrand.

– Qadehar, je ne crois pas. Mais Gérald, ça, c'est sûr ! répondit le garçon à voix basse.

Bertram leur avait en effet révélé la présence dans le Monde Incertain de Maître Qadehar, que tout le monde croyait encore prisonnier à Gifdu, d'Urien de Troïl et de Valentin. Bertram avait également émis l'hypothèse que Gérald et les Chevaliers fraîchement débarqués d'Ys allaient s'empresser de contacter Qadehar et de le rejoindre... Cette nouvelle les avait à la fois rassurés, et inquiétés !

À midi, ils décidèrent de faire une halte pour déjeuner. Bertram s'effondra sur le sol.

– Ouf ! gémit-il. C'est terrible, je n'arrête pas de penser à mon Maître. J'espère qu'il ne m'en voudra pas trop, lorsqu'il découvrira notre présence...

– C'est normal qu'il t'en veuille, dit Coralie. Il t'a confié une mission, celle de nous garder à Ys, et tu as trahi sa confiance.

– Merci pour ton soutien psychologique, Coralie ! grimaça Bertram.

– Et moi, je ne suis pas à plaindre, peut-être ? dit Romaric.

– Mon preux Écuyer ! s'exclama Coralie.

– C'est bien ça le problème, s'exclama-t-il, un instant désarçonné par l'intervention de la jeune fille et les rires de ses amis, je suis effectivement Écuyer ! Or, j'ai fugué de Bromotul, j'ai... j'ai agressé, il n'y a pas d'autre mot, un Chevalier près de la Porte. Et maintenant ? Me voilà en train de courir après ceux que le bon sens me recommanderait d'éviter à tout prix : mon oncle et la moitié de la Confrérie ! De quoi j'ai l'air, dites-moi ?

– De quelqu'un à qui il ne peut rien arriver de pire, compatit Ambre.

– À part peut-être se faire appeler « mon preux Écuyer » par une fille devant deux cents Chevaliers ! se moqua Gontrand.

– Idiot ! réagit la jolie brune. Tu es jaloux, c'est tout.

– J'aimerais bien, moi, être le preux quelque chose de quelqu'un, avoua rêveusement Thomas.

– Tu vois, Gontrand ? triompha Coralie. Il existe encore des garçons romantiques !

– Et pas assez de filles sensées, soupira Ambre. Bon, n'oublions pas de prendre des forces, nous n'avons pas encore fini de marcher...

À l'approche du soir, Sorciers et Chevaliers parvinrent en vue d'une forêt à l'aspect sauvage et inquiétant, qui faisait se hérisser le poil et battre le cœur plus vite.

– Le Bois des Pendus, annonça Maître Qadehar.

Ses amis se regroupèrent autour de la carte qu'il tenait dans les mains.

– Tu as raison, confirma Urien. Voilà l'Ile du Milieu, la Côte Hurlante où nous avons débarqué, et la Garrigue Rousse que nous venons de traverser.

Après une courte pause, ils pénétrèrent dans le bois à la suite des éclaireurs, en jetant autour d'eux des regards méfiants.

Les arbres n'étaient pas très hauts, mais leurs troncs étaient larges, et leurs branches, couvertes d'un feuillage épais, se contorsionnaient comme des tentacules. On aurait dit un croisement de chêne et de saule pleureur. Une mousse grise rongeait les troncs.

– Brrr ! Il y a plus agréable comme endroit ! lança Urien.

Valentin se tourna vers lui :

– Mais il n'y en a pas de meilleur pour cacher une armée ! lui dit-il avec un clin d'œil.

Ils débouchèrent bientôt dans une sorte de clairière, parsemée d'une curieuse herbe brune. Le Commandeur, après avoir demandé leur avis à Gérald et Qadehar, donna l'ordre d'y installer le campement.

Une fois qu'ils furent tous confortablement assis autour de l'un des feux, le chef des Chevaliers s'adressa aux Sorciers :

– Maîtres Sorciers, quels sont vos projets maintenant ?

– Il s'agit avant tout de nous mettre à l'abri et de nous rapprocher des parties habitées du Monde Incertain, répondit Qadehar en étirant ses jambes. Nous étions trop exposés et surtout trop excentrés sur la Côte Hurlante.

– Cela veut dire que nous allons rester ici ? demanda Valentin.

– Le temps de découvrir où Guillemot a été emmené, le rassura Gérald.

– Cette forêt est dense, et personne ne s'y aventure volontiers, reprit Qadehar. On raconte que les prêtres de Yénibohor avaient autrefois coutume de pendre leurs ennemis dans ce bois. Aujourd'hui, tout le monde pense qu'il est hanté par les fantômes de tous ces pendus.

– Des… des fantômes ? s'inquiéta encore Urien.

– Ne me dis pas que tu as peur des fantômes ! se moqua Qadwan qui s'était adossé à un arbre pour soulager son dos.

– Non, hum... bien sûr que non ! Mais pourquoi attendre ? Donnez-moi cinquante hommes, tonna brusquement le vieux seigneur de Troïl, et il ne me faudra pas trois jours pour obtenir de ces voyous qui peuplent le Monde Incertain les renseignements qui nous manquent !

– C'est exactement le genre de stratégie qui conduit tout droit aux catastrophes, commenta ironiquement Qadehar. Plus nous saurons nous montrer discrets, plus nous aurons de chances...

– C'est de l'Ombre que tu as peur ? demanda le Commandeur. Je l'ai affrontée une fois, à Ys, dans les Montagnes Dorées. Et je l'ai vaincue, avec mes Chevaliers.

– Dans le Monde Incertain, c'est différent, expliqua Qadehar. Sans entrer dans les détails, la magie n'y fonctionne pas exactement comme chez nous. Pour cette raison peut-être, l'Ombre est beaucoup plus puissante ici qu'à Ys. En tant que Sorcier Poursuivant, je n'ai jamais eu l'occasion de la rencontrer. Mais si cela s'était produit, je n'aurais sans doute pas pesé bien lourd...

Cet aveu du plus puissant Sorcier de la Guilde plongea les hommes présents autour du feu dans un silence gêné. Que se passerait-il si, le moment venu, l'homme le mieux armé d'entre eux avouait son impuissance ?

– Parlons peu, mais parlons bien, proposa Valentin. Quelle stratégie adopter pour retrouver Guillemot ?

– Nous pensions le localiser grâce à un sortilège, répondit Gérald. Hélas, nous n'y sommes pas parvenus : il semble que son ravisseur ait tout prévu...

– Il faudra se résoudre, je le crains, continua Qadehar, morose, à employer des moyens plus traditionnels. À savoir, envoyer des espions dans les principales villes de

ce monde à la recherche de toute information suscep-
tible de nous conduire sur la piste de Guillemot.

– Le temps nous est compté, pourtant, soupira Gérald.

– Je sais. Mais je ne vois aucune autre solu...

Un vacarme soudain interrompit Maître Qadehar. On
se battait dans les bois, à proximité de la clairière.

Tous se levèrent d'un bond.

– Les fantômes ! gémit Urien. Ce sont les fantômes qui
arrivent !

– Tais-toi donc, bougre d'imbécile ! le gronda Valentin.
Tu ne vois donc pas qu'il s'agit simplement d'un intrus ?

Le brouhaha avait en effet cessé et, sous le regard vigilant des Chevaliers qui s'étaient regroupés, les gardes en
faction du côté nord-ouest de la clairière s'avancèrent en
tenant d'une poigne ferme un homme qui ne cherchait
aucunement à s'échapper.

Un homme grand et robuste, qui portait un large manteau rouge...

Un des gardes rabattit la capuche du prisonnier.

– Yorwan ! s'exclama Maître Qadehar en découvrant
le visage familier.

– Yorwan ? rugit Urien, en s'élançant vers lui les poings
fermés. Sacré nom de nom !

– Commandeur ! cria Qadehar. Retenez Urien !

En un éclair, le Commandeur s'interposa entre le prisonnier et le vieux Chevalier furibond.

– Lâchez-moi ! hurla Urien en se débattant.

Le Commandeur eut de la peine à le retenir.

– Laissez-moi régler son compte à ce traître ! cria
encore Urien, sous l'emprise de la colère.

Ambor et Bertolen accoururent pour aider leur chef à
le maîtriser.

Les cris de Qadehar, puis d'Urien, avaient cependant
provoqué un vif émoi parmi les Chevaliers, qui conser-
vaient comme une cicatrice brûlante le souvenir de la

trahison de Yorwan. Qadehar sentit au contraire l'espoir l'envahir. Pour dominer l'agitation, il se hissa sur un tronc d'arbre tombé à terre et réclama le silence :

– Écoutez-moi ! Urien a raison : cet homme, qui dans le Monde Incertain se fait appeler le Seigneur Sha, est bien Yorwan, le jeune Sorcier renégat voleur du *Livre des Étoiles* ! Il faudra sans doute le juger pour cela. Mais certainement pas ici, et encore moins maintenant ! Car Yorwan est venu à nous délibérément, et il ne s'est pas défendu lorsque nous l'avons pris, alors qu'il maîtrise parfaitement la magie de ce monde ! Je pense qu'il a une bonne raison pour avoir agi ainsi. Mettons de côté notre ressentiment, et écoutons ce qu'il a d'important à nous dire.

Les arguments du Maître Sorcier firent mouche, et Urien lui-même s'apaisa, s'apprêtant comme les autres à écouter attentivement ce qu'avait à dire leur prisonnier.

– Je sais où se trouve Guillemot, dit simplement le Seigneur Sha.

Romaric, Ambre, Gontrand, Coralie, Agathe, Bertram et Thomas décidèrent de passer la nuit dans la garrigue. Elle leur rappelait la lande proche de Dashtikazar où ils aimaient flâner les soirs d'été. Aussi, l'étrangeté de ce monde et les curieuses bêtes semblables à de gros chats qu'ils avaient aperçues à plusieurs reprises au cours de la journée ne les effrayaient aucunement, et ils ne craignirent pas de se retrouver seuls au milieu de nulle part.

Ils rassemblèrent toutes les brindilles de bois mort qu'ils trouvèrent et allumèrent un feu. Puis ils s'assirent et dévorèrent les quelques provisions qu'ils avaient mises de côté.

– Les traces que nous suivons sont de plus en plus fraîches, annonça Thomas. Nous devrions rejoindre Gérald demain…

– Tant mieux, dit Coralie. On n'a plus grand-chose à
manger ! À part quelques boîtes de conserve...

– Tu résumes très bien le drame d'une grande majorité
de nos concitoyens, Coralie ! se moqua Gontrand. Te
voilà donc prête à sacrifier le parfum grisant de la liberté
pour le confort de ton ventre !

– C'est toi que je vais sacrifier si tu continues comme
ça ! se défendit la jeune fille, vexée. Même s'il n'y a pas
grand-chose à manger sur ton grand corps tout maigre...

– Ça me rappelle une jolie fable de La Fontaine que
j'avais apprise dans le Monde Certain, dit Bertram, d'un
air rêveur. Vous étudiez Jean de La Fontaine, à Ys ?

– Tu nous prends pour des ignares ou quoi ? répondit
Agathe.

– C'est la fable du Loup et du Chien, poursuivit le
jeune Sorcier. Le loup, qui crève de faim, envie le sort du
chien, toujours bien nourri. Il se laisse convaincre par
son nouvel ami et accepte de se transformer en chien.
Mais, lorsqu'il apprend qu'il ne pourra plus courir à sa
guise, il s'enfuit...

– ... préférant vivre le ventre creux mais libre plutôt
que repu et enchaîné, termina Ambre. Oui, je la connais,
c'est une très belle histoire...

Ils contemplèrent un moment les flammes sans rien
dire. Chacun comprenait, en sentant son estomac gar-
gouiller légèrement, le cruel dilemme du loup.

13

LES TÉNÈBRES SE DÉCHAÎNENT

Guillemot ouvrit les yeux brusquement, le cœur battant à tout rompre. Il jeta un premier regard dans la pièce, puis observa plus attentivement les coins d'ombre mais il ne distingua rien. Il s'efforça de se calmer. Il lui avait pourtant semblé, dans son assoupissement, entendre la porte du cachot s'ouvrir.

Combien de fois s'était-il réveillé ainsi, haletant, émergeant d'un sommeil très lourd, comme un noyé essaie désespérément de remonter à la surface ? Cette attente était en train de le rendre fou.

– Mon garçon...

Guillemot sursauta violemment et poussa un cri. L'Ombre ! L'Ombre était là, toute proche ! Il n'avait donc pas rêvé. Il était tendu comme la corde d'un arc. C'était la fatigue. Depuis combien de temps n'avait-il pas mangé ? Des jours ? Peut-être une semaine...

– Tss tss... Tu es nerveux... beaucoup trop nerveux...

Le chuchotement caverneux se déplaça. Guillemot aperçut enfin la silhouette de ténèbres, de l'autre côté de l'Armure d'*Ægishjamur*. Il la distinguait à peine. Mais il l'entendait respirer, et il lui semblait sentir sur son visage un souffle glacé. Il se mit à trembler comme une feuille.

– Alors, mon garçon... as-tu réfléchi... à ma proposition... ?

Guillemot ne répondit pas tout de suite. Bon sang ! Il devait à tout prix se calmer ! Arrêter de trembler ! Il ferma les yeux et demanda, comme on fait une prière, l'aide d'*Isaz*, le Graphème qui aidait à la concentration et renforçait la volonté. Au fond de lui, *Isaz* s'éclaira et répandit sa chaleur dans son corps.

Lorsque l'Apprenti regarda à nouveau l'Ombre, il tremblait moins.

J'ai réfléchi. C'est non.

L'Ombre s'agita.

– Tu oses me dire non... à moi...

Elle recula et poussa un gémissement terrifiant qui, malgré la présence d'*Isaz* en lui, effraya Guillemot.

– Tant pis... Tu l'as décidé toi-même... Tu ne veux pas devenir mon allié... tu seras donc mon esclave...

Guillemot comprit que l'affrontement était inévitable. Il vérifia d'un rapide coup d'œil que toutes ses protections étaient encore en place, et il s'assit précipitamment sur *Mannaz*.

Au bout de ce qui ressemblait à un bras, l'Ombre fit naître une boule obscure semblable à celle qu'elle avait déjà lancée lors de sa précédente visite. Puis elle la projeta avec force sur le rempart magique.

Le sortilège s'écrasa contre l'Armure d'*Ægishjamur*. Comme la dernière fois, il se mit à grésiller.

L'Ombre recommença l'opération. Avec le même insuccès.

« Pourquoi s'acharne-t-elle ? s'interrogea Guillemot avec anxiété. Elle voit bien que ses boules n'arrivent pas à entamer mon Armure ! »

Son regard fut attiré vers le sol. Il remarqua que les *Ægishjamur* gravés sur la pierre brillaient intensément. Les boules obscures mobilisaient leur énergie ! Et pendant que les *Ægishjamur* luttaient contre elles, ils ne pouvaient pas... Les yeux de Guillemot s'écarquillèrent. Il venait de comprendre la tactique de l'Ombre ! Il essaya de se rassurer en passant ses doigts dans les flammes rouges de *Hagal*.

Lorsqu'une vingtaine de boules maléfiques se furent accrochées aux parois du *Galdr*, l'Ombre s'avança, sûre d'elle, en direction de Guillemot. Elle toucha l'Armure et passa un bras à travers, comme on plonge un bras dans l'eau. Elle ricana et essaya de franchir le mur d'énergie.

Au même instant, les Graphèmes d'*Odala*, que Guillemot avait dessinés entre chaque *Ægishjamur* pour renforcer le rempart, se mirent à leur tour à étinceler. Le bras que l'Ombre avait passé au travers de la barrière magique se trouva tout à coup attaqué par une myriade d'étincelles brûlantes. Elle gémit de douleur.

– Une double protection... Bien joué, mon garçon... Tu ne me déçois pas... Oh non, tu ne me déçois pas...

La silhouette d'ombre psalmodia un sortilège dans une langue inconnue de Guillemot. Les étincelles s'éteignaient au fur et à mesure que l'incantation gagnait en volume et en puissance.

– *Pon choktu gher na gher noa magar gudaz bashzir noa...*

Les représentations d'*Odala*, sur le sol, perdirent de leur intensité. Dans un cri de souffrance, l'Ombre pénétra à l'intérieur de l'Armure d'*Ægishjamur*. Guillemot se retint pour ne pas hurler. L'ennemi avait forcé ses remparts et mettait le siège devant son donjon !

À peine l'Ombre eut-elle vaincu le *Galdr* que le gigantesque Graphème de *Hagal*, dont les huit branches crépitaient d'un feu froid, se nimba d'un halo rougeoyant et mit Guillemot à l'abri d'un nouveau mur d'énergie.

L'Ombre se figea en découvrant ce nouveau sortilège.

– Je t'ai sous-estimé, mon garçon... Nous t'avons tous méjugé...

Elle sonda le barrage transparent qui l'isolait du garçon.

Elle était toute proche, et Guillemot distinguait à présent une vague forme humaine sous le manteau de ténèbres. Sans qu'il pût dire pourquoi, il commença à avoir moins peur.

– C'est impressionnant... très impressionnant...

L'Ombre se colla contre la paroi rouge et étendit les bras. Une chape d'ombre plongea Guillemot dans l'obscurité ; il se recroquevilla instinctivement. Dans un rugissement, l'Ombre en appela aux puissances du Monde Incertain. Et les ténèbres se déchaînèrent...

Jamais encore Guillemot n'avait assisté à un tel déferlement de magie. Surgissant du néant, des formes spectrales aux contours indistincts allaient et venaient, donnant des coups de boutoir contre le donjon de *Hagal*, couinant de rage puis repartaient à l'assaut. L'Ombre les encourageait d'une voix terrifiante. Guillemot se mit à hurler. De terreur. De folie peut-être. Jusqu'à ce que la protection de *Hagal* se lézarde. Se fissure. Et craque, dans une pluie d'étoiles rouges.

L'Ombre accusa le coup en grognant. Elle chancela. Les spectres disparurent comme ils étaient venus. Visiblement épuisée par les efforts qu'elle venait de fournir, l'Ombre s'approcha d'un pas traînant de Guillemot qui sanglotait. L'obscurité qui l'entourait s'était faite moins épaisse.

– Tu es à moi maintenant... Tu es à moi, mon garçon...

Et elle tendit le bras pour l'attraper.

Sous Guillemot, le sol trembla légèrement. *Mannaz* s'était activé. En une fraction de seconde, le Graphème enveloppa l'Apprenti d'une lueur blanche laiteuse, qui dessina les contours d'un œuf énorme. L'œuf cosmique. L'ultime refuge...

L'Ombre arrêta net son geste. Elle hésita, puis recula en titubant, dans un mouvement de retraite. Guillemot, qui s'en aperçut à travers ses larmes, comprit alors qu'il ne craignait plus rien : l'Ombre avait usé ses forces contre

Ægishjamur, *Odala* et *Hagal*. Elle n'avait plus assez d'énergie pour s'attaquer à *Mannaz* !

La porte du cachot s'ouvrit brusquement et un homme au crâne rasé, vêtu d'une tunique claire, entra dans la pièce. Il marqua un temps de surprise en découvrant Guillemot assis dans un œuf translucide, puis il se prosterna devant l'Ombre.

– Maître… Excusez-moi, Maître, mais… une armée étrangère campe aux portes de la cité !

L'Ombre réprima un mouvement de colère.

– Déjà… Ils sont déjà là… Quelle mauvaise nouvelle tu m'apportes là… Lomgo… Trop tôt… C'est trop tôt…

Puis elle se tourna vers Guillemot et lui dit d'une voix fatiguée :

– Je dois malheureusement te laisser… mais je n'en ai pas fini avec toi… Il y a d'autres moyens… Oui, d'autres moyens…

L'Ombre quitta la pièce en maugréant, suivie de Lomgo qui avançait, le buste incliné et la tête penchée sur le côté.

Guillemot essaya de lutter contre le bourdonnement qui envahissait son esprit, mais en vain. Épuisé par les émotions, affaibli par le manque de nourriture, il perdit une nouvelle fois connaissance.

14
YÉNIBOHOR

– Que fait-on, maintenant ? demanda Bertram.

Les jeunes gens contemplaient d'un air perplexe les imposantes murailles de la cité de Yénibohor qui se dressaient au loin. C'était la première fois qu'ils voyaient la célèbre ville, et ils étaient impressionnés. Il se dégageait en effet de Yénibohor quelque chose de terrible et d'angoissant.

Une tour gigantesque s'élevait au centre de la ville, renforçant encore cette impression menaçante qui en émanait.

– Voilà donc le repaire de ces prêtres qui font peur à tout le monde ! lança Gontrand en éludant la question de Bertram.

– Wal, le Gardien des Objets du Peuple de la Mer, m'a raconté des choses effroyables à leur sujet…, dit Coralie.

– Ce sont des histoires vraies, confirma Romaric d'un air grave.

Lors de son dernier séjour dans le Monde Incertain, Romaric avait eu l'occasion de rencontrer des hommes qui l'avaient mis en garde contre les prêtres de Bohor.

– On a décidément le chic pour aller chercher les ennuis, soupira Agathe.

– Il faut reconnaître que, pour l'instant, on s'est surtout contentés de suivre la Confrérie, répondit Ambre d'un ton laconique. Ce n'est pas notre faute si elle nous a conduits ici !

Les jeunes amis de Guillemot avaient en effet suivi les traces de la Confrérie à travers la Garrigue Rousse. Et c'est devant les murailles de Yénibohor qu'ils avaient enfin découvert les Chevaliers en ordre de bataille. Ils avaient décidé d'un commun accord de remettre à plus tard le temps des retrouvailles et... celui des explications. Aucun d'entre eux ne tenait à se précipiter! Dans certaines circonstances, rester tapi dans les bois avec les loups avait quelques avantages...

Ils s'étaient donc dirigés vers les hauteurs, en réalité de simples collines – qu'on appelait Grises à cause d'un affleurement de la roche –, non loin de la cité. Ce point d'observation leur offrait une vue générale et distante sur la scène qui se préparait.

– Bon et, maintenant, que fait-on? répéta Bertram.

– On fait comme eux dans la plaine, répondit Romaric sans hésiter: on attend...

Dans une attitude à la fois chevaleresque et presque ridicule, compte tenu des circonstances particulières, la ligne de cuirasses turquoise défiait la puissante cité de Yénibohor. À l'arrière, un plan approximatif de la ville sous les yeux, le Commandeur tenait un conseil de guerre avec Ambor, Bertolen, Urien et Valentin.

– Commandeur, répétait pour la dixième fois Urien de Troïl, je ne comprends pas pourquoi vous laissez ce traître de Yorwan diriger l'opération!

Valentin laissa échapper un soupir d'exaspération.

– C'est parce que tu as décidé que tu ne comprendrais pas, répondit-il à la place du chef des Chevaliers. Urien, je t'en prie... D'abord, dis-toi bien que Yorwan ne dirige rien: il nous renseigne, c'est tout. Ce qu'il a pu faire dans le passé est une chose; ce qu'il fait aujourd'hui, c'est-à-dire nous aider à retrouver Guillemot, en est une autre.

– Tu insinues que sa bonne action suffirait à effacer sa faute du passé ? s'exclama Ambor. Il n'en est pas question !

– Il ne s'agit pas de ça, grommela Urien. Ce n'est pas une bonne action, mais un piège. Un piège dans lequel nous fonçons tête baissée ! Si Yorwan n'était pas sous la protection de ces maudits Sorciers, je l'aurais étranglé de mes propres mains, pour l'empêcher de nuire encore !

– Je vous rappelle, intervint le Commandeur d'un ton sévère, que nous sommes ici pour organiser la prise de la ville. Alors réfléchissons-y, au lieu de spéculer vainement ! Yorwan affirme que c'est là, à Yénibohor, que Guillemot est retenu prisonnier. Si Qadehar et Gérald nous disent que l'on peut se fier aux informations de Yorwan, c'est qu'elles sont valables. Il ne nous appartient pas d'en juger...

Urien ne répondit pas, mais il serra les poings jusqu'à en avoir les jointures blanches.

Plus loin, assis dans l'herbe rase, Qadehar, Gérald et Qadwan entouraient Yorwan, qui s'était enroulé dans son manteau rouge de Seigneur Sha. Personne, en les voyant converser librement et amicalement, n'aurait pu s'imaginer que l'un était prisonnier des trois autres...

– Je n'arrive pas à croire que j'ai raté l'appel à l'aide de mon Apprenti, se désolait Qadehar.

– C'est parce que tu es moins sensible que moi aux Graphèmes Incertains, répondit Yorwan.

– Je l'ai entendu, pourtant, insista le Maître Sorcier. Faiblement, mais j'ai bien reconnu un appel au secours ! Seulement, il provenait du Monde Incertain. Comment aurais-je pu savoir qu'il s'agissait de Guillemot ?

Il s'en voulait terriblement de ne pas avoir porté davantage attention au sortilège aléatoire qu'il avait intercepté, alors qu'il marchait avec Urien et Valentin quelques jours plus tôt, en direction de Virdu.

– L'essentiel, le réconforta Gérald, c'est que Yorwan ait capté cet appel et, surtout, qu'il ait eu la présence d'esprit de localiser Guillemot et d'engager une filature mentale.

– J'ai perdu sa trace à Yénibohor, continua Yorwan. Il y est encore certainement ! Cependant...

– Cependant quoi ? demanda Qadwan d'une voix lasse.

Le vieux Sorcier était encore affaibli. Il récupérait difficilement de son passage dans le Monde Incertain.

– Cependant, reprit Yorwan, il faut être très vigilant. Les prêtres de Yénibohor sont redoutables ! Ils pratiquent une forme de magie puissante, qu'ils puisent dans le culte rendu à Bohor, le Maître Obscur. On raconte que le Grand Prêtre qui les dirige n'a pas forme humaine, et qu'il aurait été envoyé dans le Monde Incertain par Bohor lui-même... Quoi qu'il en soit, il faudrait montrer davantage de prudence.

Il jeta un regard désapprobateur aux Chevaliers postés en évidence devant la cité.

Qadwan soupira.

– La Confrérie est ainsi, fière et déraisonnable. Il faut en prendre son parti. Mais ses hommes sont valeureux, ils n'ont pas d'équivalent, dans aucun monde !

– Les Chevaliers n'ont aucune chance contre les prêtres, s'obstina Yorwan.

– Que préconises-tu ? s'enquit Qadehar.

– La ruse ou la négociation. En aucun cas la force.

– Je sais que je me répète, dit Gérald, mais nous disposons de peu de temps ! Quel que soit celui qui a enlevé Guillemot, Ombre, Grand Prêtre ou Bohor en personne, il va vite obtenir de lui ce qu'il désire. Et si, en plus, c'est ce même personnage qui a dérobé dans ta tour le *Livre des Étoiles*, comme tu nous l'as raconté, alors il y a fort à parier que des choses redoutables se préparent...

– Il faut me croire, dit avec insistance Yorwan. Le *Livre des Étoiles* m'a bien été volé à Djagh ataël, pendant que je courais après Guillemot dans les corridors de Gifdu !

– Un voleur volé, voilà qui serait amusant si la situation n'était pas aussi dramatique ! lâcha Qadwan.

Yorwan tourna un regard désolé vers les trois Sorciers.

– Combien de fois faudra-t-il vous le dire ? Je n'ai pas volé le vieux grimoire, je l'ai mis à l'abri ! Si je n'avais pas agi de la sorte, à l'encontre même de mes propres intérêts, la situation serait aujourd'hui bien plus grave.

– Peut-être dis-tu la vérité. En tout cas, j'aimerais le croire... Mais nous verrons cela plus tard, conclut simplement Qadehar après un silence. Pour l'heure, occupons-nous de Guillemot !

Laissant Yorwan à la garde de Qadwan, Qadehar et Gérald se dirigèrent vers le groupe d'hommes assemblés autour du Commandeur.

– Maître, que faisons-nous ?

– Rien, pour l'instant...

La silhouette de ténèbres contemplait depuis le sommet de sa tour les hommes de la Confrérie qui le défiaient devant les murailles de la cité.

– Rien, Maître ? s'étonna Lomgo. Mais...

– Je l'avais prévu... C'était inévitable... Ils arrivent seulement trop tôt...

Les chuchotements de l'Ombre cessèrent. Elle réfléchissait.

– Fais venir notre ami... Maintenant...

Lomgo s'inclina et disparut dans les escaliers.

Un long moment plus tard, soufflant comme un bœuf et pestant contre la hauteur du donjon, un homme fit son apparition sur la plate-forme. C'était un colosse échevelé, poilu en diable, vêtu d'une armure noire cabossée.

– J'espère... que tes hommes sont en place... Thunku...

– Ils le sont, Grand Prêtre, répondit le commandant Thunku d'une voix tonitruante.

– Bien, très bien... Je vais disposer les miens... Et nous attendrons qu'ils attaquent...

– Croyez-vous qu'ils sont venus pour nous attaquer ? interrogea Thunku.

Il lança un regard plein de mépris vers les Chevaliers.

– Ils ne sont pas plus d'une poignée !

– Crois-moi, Thunku... ils attaqueront... Je les connais bien... Ils attaqueront...

L'Ombre ricana et Thunku, que le rictus monstrueux n'effrayait pas le moins du monde, l'accompagna de son rire terrible.

Dans la plaine, malgré la vaillance qui habitait leur cœur, les Chevaliers ne purent réprimer un frisson.

15

URIEN DE TROÏL

La proposition de négociation de Yorwan, que Qadehar et Gérald rapportèrent à l'état-major des Chevaliers, fut loin de plaire aux rudes hommes d'action, à l'exception peut-être de Valentin, le plus sage d'entre eux...

– Quoi ? s'exclama Urien. Vous voulez parlementer avec ces fous ?

– Ce serait l'occasion de prendre la mesure des forces dont dispose la ville, tenta de se justifier Qadehar devant le vieux Chevalier, que tous sentaient sur le point d'exploser de colère.

– Tu n'as pas confiance dans la valeur de la Confrérie ? demanda le Commandeur, légèrement peiné, au Sorcier.

– Le problème n'est pas là, intervint Gérald. Maître Qadehar ne remet nullement en cause votre bravoure ! Mais, d'après Yorwan, les prêtres de Yénibohor disposeraient de pouvoirs magiques qui...

– Yorwan ! ricana Urien. Une attitude aussi lâche ne peut qu'émaner de lui ! Ce qui m'étonne, Qadehar, c'est que tu te laisses manipuler par cet individu, alors qu'il nous a déjà trahis.

– Ça suffit, Urien ! lança Qadehar d'une voix sèche.

L'attitude du géant de Troïl lui faisait perdre patience.

– Tes sous-entendus sont inadmissibles ! reprit-il.

– Eh bien moi, répondit en hurlant Urien, je n'admets pas de devoir obéir à la Guilde et à ses maudits Sorciers !

Sous l'insulte, Qadehar fit un pas vers Urien, l'air menaçant. Gérald, le Commandeur et Valentin s'interposèrent aussitôt entre les deux hommes. Ambor et Bertolen, les deux capitaines, semblaient partagés et perplexes. Un flottement se fit sentir parmi les rangs des Chevaliers. Ils se tenaient devant la terrible cité de Yénibohor, abritant on ne sait quelle menace, et leurs chefs se disputaient... La situation leur semblait inhabituelle.

– Ça suffit! grogna Urien.

Il se dégagea de l'étreinte de Valentin et du Commandeur, et recula de quelques pas.

– Je sais ce que je dois faire!

Le colosse se dirigea d'un pas rapide vers un énorme rocher. Il grimpa dessus et s'adressa d'une voix tonitruante aux Chevaliers stupéfaits:

– Chevaliers! Le ravisseur de mon neveu se terre dans cette ville! Une ville occupée par une poignée de prêtres tremblants! Et que nous proposent les Sorciers de la Guilde, sur les conseils du traître Yorwan? De négocier!

Un grondement désapprobateur agita les hommes, attentifs au discours martial d'Urien de Troïl.

– N'êtes-vous pas les meilleurs combattants des Trois Mondes? continua le colosse dont le regard brillait d'excitation et de fureur. Ne vous sentez-vous pas capables de prendre cette cité?

Cette fois, une clameur enthousiaste lui répondit. Les hommes brandirent vers le ciel leur épée et le bouclier frappé des armoiries de leur famille.

– Alors, conclut Urien en levant sa hache de guerre, à l'assaut! Faisons rendre gorge à ceux qui ont osé défier Ys et la Confrérie!

– Yahhhhhhhh!

Les cris rauques des deux cents Chevaliers résonnèrent dans la plaine. Urien prit la tête et se précipita, écumant, en direction des portes de la ville qui étaient grandes ouvertes. Les Chevaliers se ruèrent à sa suite.

– C'est de la folie ! gémit Qadehar qui assistait, impuissant, à la scène.

Le Commandeur avait le visage décomposé.

– Je suis désolé. Je n'ai rien pu faire. Urien est une légende pour les Chevaliers. Et ils étaient tous trop impatients de passer à l'attaque...

Ambor et Bertolen, enflammés comme les autres par le discours d'Urien, s'étaient précipités les premiers.

Le Commandeur se dirigea à son tour vers la ville. Valentin lui emboîta le pas.

– Ce sont mes hommes, s'excusa le Commandeur. Je ne peux pas les abandonner !

– Je vais avec vous ! se décida brusquement Qadehar. Vous aurez besoin de moi si les prêtres usent de magie !

– Ça aussi, c'est de la folie..., dit Gérald d'un ton réprobateur.

– Je le sais, mon ami, reconnut le Maître Sorcier avec tristesse. Mais j'ai déjà abandonné une fois mes compagnons devant Djaghataël. Aujourd'hui, je partagerai leur sort, quel qu'il soit. Si cela tourne mal, réfugiez-vous dans le Bois des Pendus ! Et repartez ensuite à Ys !

Gérald, Qadwan et Yorwan le regardèrent s'engouffrer dans Yénibohor à la suite des Chevaliers. Ils étaient atterrés.

– Je crois, annonça Yorwan d'une voix sinistre, que nous devrions nous mettre tout de suite en route pour le Bois des Pendus...

Urien, suivi par les deux cents Chevaliers de la Confrérie du Vent et par Valentin, Qadehar et le Commandeur, un peu plus loin derrière eux, s'engagea dans la cité. Les abords de la porte monumentale étaient déserts. Ils coururent encore une centaine de mètres, puis franchirent un pont en pierre qui surplombait un large cours d'eau. Urien marqua le pas au milieu d'une avenue, et jura. Derrière lui, les guerriers à l'armure turquoise s'arrêtèrent et commencèrent à chuchoter. Il n'y avait personne. Et le silence qui régnait était un silence de mort. Il était fort probable qu'il s'agisse d'un guet-apens...

« Qu'est-ce que j'ai fait ? Sacredieu, qu'est-ce que j'ai fait ? » se lamenta Urien en recouvrant peu à peu ses esprits, comme si la situation présente lui faisait l'effet d'une douche froide.

– Demi-tour ! rugit-il aussitôt à l'adresse de ses compagnons. Sortons de cette nasse, et vite !

Mais, au même instant, les lourds panneaux des portes de la ville se fermèrent brutalement, dans un claquement sinistre qui résonna comme un bruit de fin du monde. Et c'est alors que, surgissant des ruelles alentour, des créatures se jetèrent par dizaines en hurlant sur les Chevaliers...

C'étaient des Orks, ces monstres humanoïdes puissants et effrayants, au visage semblable à celui des lézards, à la peau dure et craquelée, vêtus de toile et de cuir ! Ils arboraient sur le torse, en pendentif, le symbole de la ville de Yâdigâr, un lion rugissant encerclé de flammes.

Qadehar, un peu en retrait, reconnut le blason. Il pâlit.

– Les hommes de Thunku ! Encore ! s'exclama-t-il.

– On est faits comme des rats ! constata amèrement le Commandeur en voyant les grappes de monstres se répandre dans l'avenue et occuper le pont, prenant la Confrérie en étau.

– Il faut se dégager et s'enfuir ! dit Valentin qui tentait de conserver son calme. C'est notre seule chance...

– Je m'occupe de la porte, annonça Qadehar en rebroussant chemin.

Mais, au même instant, un Ork gigantesque lui barra la

route. Instinctivement, le Sorcier lança contre lui le Graphème *Thursaz*. Celui-ci resta sans effet.

« Ça alors ! s'étonna Qadehar. J'ai pourtant appelé la forme incertaine du Graphème ! »

Il essaya encore une fois d'assommer son adversaire avec le Graphème, tout en sautant de côté pour éviter un violent coup de poing. Peine perdue...

« Yorwan avait raison ! comprit-il tout à coup. Il y a ici une magie qui annihile les effets de la mienne ! »

Le Sorcier para un nouveau coup de l'Ork et s'élança contre lui. Il parvint à le frapper à la gorge en même temps qu'il lui prit son arme, une lourde épée, dentelée comme une scie. Puis il se tourna vers ses compagnons, aux prises avec les monstres. Le combat était total.

Un autre Ork l'aperçut et, avec un grognement de haine, s'élança vers lui en brandissant sa massue cloutée. Le Sorcier soupira et attendit le choc, l'épée haute...

16

ORKS CONTRE CHEVALIERS

L'Ork qui se précipitait sur Qadehar mesurait presque deux têtes de plus que lui. Mais il en fallait davantage pour impressionner le Maître Sorcier, qui avait déjà combattu de pires créatures dans le Monde Incertain ! Il le laissa s'approcher et, au dernier moment, esquissa un pas de côté. Pendant que le monstre abattait sa massue dans la poussière, Qadehar le frappa au ventre. Sans un regard pour son adversaire agonisant, il se prépara à l'attaque d'un troisième Ork. Il para un premier coup avec l'épée, sauta avec souplesse en l'air pour éviter le second ; puis, en retombant, il envoya à l'aide de tout son poids son pied contre le genou du monstre. Celui-ci se brisa net dans un craquement affreux, et l'Ork roula par terre en geignant de douleur. Le Maître Sorcier eut à peine le temps de reprendre son souffle que ses amis l'appelaient à l'aide.

Partout on se battait. La réputation des Chevaliers n'était pas usurpée : à un contre trois, ils luttaient vaillamment, et leurs épées étaient rouges du sang des monstres. Lorsqu'un de leurs compagnons mordait la poussière sous les coups des créatures déchaînées, leur rage augmentait et ils frappaient encore plus fort. Urien de Troïl, dos à dos avec Valentin qui couvrait ses arrières, restait le plus impressionnant : l'épée dans une main, sa hache de guerre dans l'autre, la barbe poussiéreuse et l'écume aux lèvres, il envoyait à terre les Orks les uns après les autres avec une force titanesque. Le Commandeur portait également des coups mortels contre les rangs ennemis. Sa poigne était froide, méthodique, précise. Les cicatrices qui zébraient son visage de vétéran luisaient sous le soleil. Ambor et Bertolen, dos à dos comme la plupart des Chevaliers, habitués à combattre de concert, luttaient comme des lions. Mais la bataille était perdue d'avance, ils le savaient tous. Leurs adversaires semblaient innombrables, et chaque Ork tombé était remplacé par un autre...

– Commandeur ! souffla Maître Qadehar au chef des Chevaliers. Ma magie est impuissante ! Il faut essayer de se dégager. Nous ne tiendrons plus très longtemps !

Le Sorcier balança la pointe de son épée vers la gorge d'un monstre. Il entendit un râle étouffé.

– Vois-tu un endroit où se réfugier ? lui demanda le Commandeur en déviant un coup de hache et en écrasant le nez d'un Ork avec son coude.

– J'ai repéré un bâtiment, tout près. Nous pourrions essayer de nous y réfugier...

– D'accord, approuva-t-il.

Il lança immédiatement quelques ordres brefs.

Les Chevaliers, s'abritant du mieux possible derrière leurs boucliers, se regroupèrent tant bien que mal, et battirent lentement en retraite. Le Commandeur et Qadehar, bientôt rejoints par Ambor et Bertolen, ouvraient la marche. Urien et Valentin la fermaient. L'odeur âcre de la bataille prenait les combattants à la gorge.

– Nous y sommes presque ! lança le Sorcier pour redonner courage aux hommes, en pénétrant dans une petite rue perpendiculaire.

Bientôt, ils purent progresser plus vite. Les maisons les protégeaient des attaques latérales, et seuls leurs arrières étaient désormais harcelés par les Orks.

Ils parvinrent au pied de l'édifice repéré par Qadehar, une grosse bâtisse carrée en pierre de taille, qui dépassait en hauteur les maisons voisines, et qui semblait être le temple du quartier. La porte en était solidement fermée, mais un Chevalier ne tarda pas à trouver une échelle, dans une cour, le long d'un mur. L'un après l'autre, les hommes à l'armure turquoise grimpèrent sur le toit et l'occupèrent comme une position militaire.

– C'est à nous de jouer, annonça Urien à Valentin, restés parmi les derniers pour protéger l'escalade de leurs compagnons.

Le colosse se tourna et empoigna l'échelle. Mais il ne vit pas l'Ork qui débouchait de l'autre côté de la ruelle et fonçait sur lui, brandissant un pieu en avant.

– Urien! Attention! cria Valentin en s'interposant entre son ami et le monstre.

Le choc fut violent. Le pieu se planta dans la cuirasse, au niveau du ventre, et Valentin s'écroula par terre, mollement, sans un bruit.

– Valentin! hurla Urien en sautant au bas de l'échelle. Valentin!

D'un coup de hache, il repoussa l'Ork qui tentait de se jeter sur lui. Puis il releva son ami. Une impressionnante tache rouge maculait le sol. Urien brisa la lance de bois au niveau de la cuirasse. Il chargea le majordome inanimé sur ses épaules et grimpa sur le toit.

Une centaine de Chevaliers avaient réussi à gagner le sommet de l'édifice providentiel, et s'étaient déployés de façon à en défendre efficacement l'accès. Les autres combattants étaient restés sur le champ de bataille, morts, blessés, ou prisonniers. Le Commandeur respira. Même si les pertes étaient lourdes, cela aurait pu être pire…

Le Maître Sorcier s'activait au chevet de Valentin, à côté

d'Urien qui pleurait à chaudes larmes, avec des hoquets, comme un enfant.

– C'est moi qui l'ai tué, répétait le géant effondré, c'est moi qui les ai tous tués... C'est ma faute, oui, c'est ma faute... Par mon orgueil, et ma folie...

– Il ne sert à rien de se lamenter, dit Qadehar durement. Ce qui est fait est fait, et ton irresponsabilité sera jugée plus tard. Aide-moi plutôt !

Ils déshabillèrent le vieil homme, qui leur parut encore plus maigre sans son armure. La pointe du pieu était profondément enfoncée dans son ventre.

– Il a perdu beaucoup de sang, dit Qadehar, inquiet.

Le Sorcier fouilla dans la poche de son manteau et en sortit une poignée d'herbes sèches, qu'il mouilla de sa salive et appliqua avec précaution sur les pourtours de la blessure.

– C'est une vilaine plaie, annonça-t-il.

– Il faut le sauver ! gémit Urien. Il le faut !

– Si je possédais le moindre pouvoir, ici, répondit Qadehar en posant une main qui se voulait réconfortante sur l'épaule du géant, j'aurais pu te le promettre. Mais sans Graphèmes pour renforcer et compléter l'action des plantes guérisseuses... je doute fort du résultat. Il nous faut attendre, Urien. Je ne peux rien faire de plus.

Au même moment, les Orks lancèrent un assaut sur la terrasse, en utilisant une dizaine d'échelles semblables à celle qui avait permis aux Chevaliers de s'y réfugier. Ils furent repoussés assez facilement. Quelques flèches s'écrasèrent ensuite sur le toit, tirées depuis un bâtiment voisin. Les Chevaliers s'abritèrent derrière leurs boucliers et bientôt les tirs cessèrent. Visiblement, les hordes d'Orks n'étaient bonnes qu'au combat au corps ! Mais les Chevaliers ne se faisaient pas d'illusions...

– Il leur suffit d'attendre, grommela Bertolen. Nous n'avons ni nourriture ni eau !

Mais l'intention des maîtres de Yénibohor était autre. Perché sur un toit de la ville, non loin des Chevaliers, un homme de grande taille s'adressa à eux d'une voix de stentor :

– Toute résistance est inutile ! Vous êtes condamnés ! Je pourrais attendre que le temps fasse son œuvre, mais... je suis impatient de nature !

– C'est le Commandant Thunku, leur révéla Qadehar, le tyran de Yâdigâr. C'est son armée que nous venons d'affronter.

La nouvelle se répandit parmi les Chevaliers comme une traînée de poudre.

– En un sens, avoua Ambor à son ami Bertolen, je préfère ça. J'aurais trouvé inquiétant que de simples prêtres puissent mettre à mal les hommes de la Confrérie...

– Mais que se passe-t-il ? s'étonna Bertolen en voyant une vingtaine d'hommes portant l'armure turquoise et attachés rejoindre Thunku sous la menace d'Orks armés jusqu'aux dents.

Thunku prit à nouveau la parole :

– Comme vous pouvez le voir, j'ai fait quelques prisonniers ! Je vous demande de poser les armes et de vous rendre ! Je vais compter jusqu'à deux cents : à chaque nouvelle dizaine, je tuerai l'un des vôtres ! Jusqu'à ce que vous obéissiez ! Un... deux...

– Commandeur, le pressa Ambor, il faut se rendre ! Nous sommes perdus, de toute manière ! Inutile de faire mourir nos compagnons pour rien !

– Tu as raison, bien sûr, acquiesça celui-ci avant de se tourner vers Thunku et de crier : Arrête ! Nous nous rendons !

Thunku en était à neuf et un Ork brandissait déjà une hache au-dessus de la tête du Chevalier qu'il avait fait agenouiller. Le maître de Yâdigâr fit signe au monstre de reculer, et laissa le prisonnier se relever.

– Sage décision, Commandeur ! Laissez toutes vos armes sur le toit et descendez l'un après l'autre dans la rue !

– Nous sommes perdus ! Et je ne vois vraiment pas ce qui pourrait nous tirer de là..., soupira Qadehar à l'attention du Commandeur.

Il revêtit l'armure de Valentin et dissimula son visage en le barbouillant de poussière et de sang.

Aux yeux de Thunku, il était Azhdar le démon, et la brute lui vouait une haine brûlante. Mieux valait éviter qu'il le reconnaisse...

17
UN ABATTEMENT
DE COURTE DURÉE

– C'est affreux! gémit Coralie en se réfugiant contre l'épaule de Romaric, qui tenta de la réconforter maladroitement.

– Est-ce que Qadehar...? osa à peine Ambre en posant sur Gontrand un regard anxieux.

– Et mon oncle? renchérit Romaric, la voix tremblante. Et Urien?

– Nous sommes trop loin, répondit Gontrand qui avait pris place sur un rocher d'où il avait une meilleure vue. Il est impossible de dire qui s'en est sorti...

Les jeunes gens d'Ys, depuis les collines où ils avaient trouvé refuge, avaient assisté, non pas à la bataille qui s'était déroulée derrière les murailles – quoique les clameurs montant de la ville les eussent vite renseignés sur l'âpreté des combats –, mais à l'épisode du toit et à la défaite de la Confrérie...

– Ce n'était pas des prêtres qui attendaient nos amis dans ce coupe-gorge, n'est-ce pas? demanda Agathe.

– Non, reconnut Gontrand. Il s'agissait d'Orks. Probablement des mercenaires appelés en renfort par les prêtres, comme cela se pratique couramment dans le Monde Incertain.

– Qui aurait cru, dit Thomas songeur, que la Confrérie puisse perdre une bataille?

– Les Orks étaient bien plus nombreux, hasarda Romaric.

– Et puis, ajouta Bertram, les prêtres sont peut-être intervenus avec leurs pouvoirs...

– Orks ou prêtres, s'emporta Ambre, quelle importance maintenant que les Chevaliers sont tous morts ou prisonniers...

– Du calme, Ambre, dit Bertram. On discute, c'est tout...

– Oui, c'est tout, et c'est bien ce que je vous reproche !

– Que va-t-il se passer, maintenant ? demanda Agathe pour mettre un terme à la dispute.

– Je n'en sais rien, finit par avouer Ambre. Je n'en sais rien...

– Que fait-on ? demanda Yorwan.

Il se tenait caché avec ses deux compagnons derrière un rocher. Ils avaient eux-aussi assisté à la scène du toit.

Gérald ne répondit pas. Il se tourna vers Qadwan, qui fit un geste d'impuissance.

– La seule chose vraiment raisonnable, hésita Gérald, serait de... de rentrer à Ys !

– Et d'abandonner Guillemot ? s'exclama Qadwan.

Il secoua la tête, incrédule.

– C'est la seule solution qui s'offre à nous, tenta de se justifier le Sorcier en essuyant ses lunettes. Une fois à Ys, nous aviserons le Prévost qui convoquera sans doute le Grand Conseil et...

– ... Et une décision sera prise dans six mois ! Non, pas question. Il sera trop tard.

– Sur le fond, tu as raison, admit Gérald. Mais dans la réalité... je ne vois pas d'autre solution que celle de retourner à Ys.

– Moi, j'en ai une, annonça alors Yorwan.

Le Seigneur Sha avait cru qu'on ignorerait son avis mais, en voyant les visages tournés vers lui, il comprit que les Sorciers étaient prêts à s'accrocher au moindre espoir...

Ils s'assirent à l'abri des regards de la cité, et Yorwan commença :

– J'appartiens depuis mon plus jeune âge à une fraternité secrète, présente dans les Trois Mondes : la Société de l'Ours. Cette société est très ancienne. Elle est née lorsque le *Livre des Étoiles* est arrivé à Ys. On pense que ce sont les mêmes gens qui ont apporté le Livre et qui ont créé cette société. Celle-ci a ensuite essaimé vers le Monde Certain et le Monde Incertain. Elle a pour unique objet la surveillance du *Livre des Étoiles* et des usages que l'on pourrait en faire... Car le vieux grimoire contient des secrets redoutables ! Nous ne sommes pas nombreux au sein de l'Ours. Mais notre influence est grande, et nos appuis sont importants. Surtout dans le Monde Incertain, où se trament depuis longtemps les principaux complots contre le Livre... Je me propose d'alerter le chef de l'Ours et de lui demander son aide. Je ne sais pas si cette aide sera suffisante pour lutter contre les puissants prêtres de Yénibohor, mais... cela ne coûte rien d'essayer !

Un silence stupéfait accueillit la proposition de Yorwan.

– C'est incroyable ! s'exclama enfin Qadwan. Je n'avais jamais entendu parler de cette Société de l'Ours ! Pourtant, d'habitude, tous les secrets transitent par Gifdu !

– Une société secrète mise en place par ceux-là mêmes qui ont apporté le *Livre des Étoiles*..., réfléchit à voix haute Gérald. Un pouvoir et un contre-pouvoir... Un remède, et un antidote quand le remède se transforme en poison... C'est logique et, surtout, très sage !

– Et toi, quel est ton rôle dans l'Ours ? demanda Qadwan à Yorwan en fronçant les sourcils.

– Autrefois, j'étais le correspondant secret de la

société auprès de la Guilde, à Ys. Aujourd'hui, je suis les yeux et les oreilles de l'Ours dans le monde réel...

– Est-ce que... Est-ce que ton départ d'Ys avec le *Livre des Étoiles* a un rapport avec l'Ours ? questionna Gérald, les yeux brillants.

Le Sorcier commençait à comprendre.

– Oui, murmura Yorwan avec une pointe de tristesse dans la voix et en baissant la tête. Mais je vous raconterai cela plus tard. Le temps presse et, puisque vous êtes d'accord, il me faut contacter mes amis dans le Monde Incertain...

Pendant ce temps, dans les collines, Ambre poussait un cri de triomphe. Elle venait d'avoir une idée !

– Les Chevaliers ont lancé l'assaut contre les prêtres pour délivrer Guillemot, et ils ont échoué dans leur tentative..., déclara-t-elle.

– Comment peux-tu être si sûre que Guillemot se trouve à Yénibohor ? l'interrompit Agathe.

– Parce que si la Confrérie a investi la cité, ce n'est sûrement pas à cause de la saison des soldes ! rétorqua Ambre en haussant les épaules.

– Continue, Ambre, l'encouragea Romaric.

– L'échec des Chevaliers, donc, nous oblige à agir à notre tour.

– D'autant plus, renchérit Gontrand la mine sombre, que la précipitation de la Confrérie ne peut signifier qu'une chose : nous disposons de peu de temps pour délivrer Guillemot...

– Mais comment ? s'étonna Agathe. Comment pouvons-nous réussir là où deux cents Chevaliers ont échoué ?

Ambre lui adressa un sourire radieux.

– Nous avons des amis dans le Monde Incertain ! N'est-ce pas, compagnons ? Gontrand, je pense à Tofann, ton géant des steppes ! Coralie, à Wal et au Peuple de la Mer ! Et puis Guillemot nous a assez parlé des Hommes des Sables et de la dette qu'ils ont à son égard !

Le visage de Gontrand s'éclaira tout à coup.

– Tu voudrais qu'on retrouve ces amis-là et qu'on leur demande de l'aide ?

– Exactement ! acquiesça Ambre en croisant les bras d'un air triomphant.

– Oui, mais nous, on ne connaît personne ! intervint Thomas.

– C'est vrai, ça, confirma Bertram.

– C'est simple, répondit Ambre, bien résolue à prendre l'opération en main. Puisque le temps nous est compté, comme le dit Gontrand qui a sûrement raison, nous ne pouvons pas prospecter tous ensemble. Nous allons donc constituer des équipes. Coralie et Romaric, vous irez à la recherche de vos amis du Peuple de la Mer. Agathe partira avec Gontrand sur les traces de Tofann. Thomas, Bertram et moi, nous nous rendrons dans le Désert Vorace.

– Et si on ne trouve personne ? s'inquiéta Coralie.

– Le Monde Incertain n'est pas si grand que ça ! Et puis vous savez où chercher ! Nous allons en revanche convenir d'un jour où nous devrons nous retrouver, quel que soit le résultat de nos recherches...

La proposition d'Ambre fut une nouvelle fois soumise au vote. Elle fut acceptée à l'unanimité moins zéro voix, Bertram ne dormant plus et affichant un sourire énigmatique.

– Je n'irai pas avec toi, Ambre, annonça-t-il.

– Quoi ?

– J'ai une autre idée ! J'ai besoin d'agir seul...

– Mais enfin, explique-toi, Bertram ! le pressa la jeune fille.

– Inutile. Je vous demande simplement de me faire confiance.

Ils le regardèrent tous avec inquiétude et, malgré leurs efforts, ne parvinrent pas à le faire changer d'avis.

Le jeune Sorcier rassembla ses affaires et se hâta de partir, arguant qu'il ne devait pas tarder s'il voulait que son projet ait une chance d'aboutir.

Les Chevaliers s'étaient donc rendus un par un aux Orks de Thunku qui les attendaient au pied du temple où ils avaient tenté de se réfugier. Ils furent désarmés, rudoyés et enchaînés, avant d'être conduits dans les sous-sols de la ville et jetés dans des geôles humides.

– Tout le monde va bien ? s'enquit, une fois les Orks partis, le Commandeur à travers les barreaux de la porte de son cachot où il avait été enfermé avec une dizaine de ses hommes.

Il reçut une réponse positive de toutes les cellules, sauf du cachot jouxtant le sien.

– Valentin est mourant, annonça tristement Qadehar.

Dissimulé sous l'armure turquoise d'un Chevalier, le Sorcier n'avait pas été démasqué, pas même par Thunku lorsqu'il était passé devant lui. Il avait heureusement obtenu des Orks de pouvoir porter le majordome grièvement blessé sur ses épaules, ce qui avait ajouté à son incognito... Les prêtres de Yénibohor, des hommes maigres au crâne rasé, vêtus de blanc, avaient pourtant cherché parmi eux le Sorcier de la Guilde. Il leur avait bien semblé l'apercevoir au cours de la bataille, et ils avaient aussitôt activé des pouvoirs neutralisant la magie des étoiles. Qadehar avait abandonné son manteau de Sorcier dans une anfractuosité de la terrasse, et il ne le regrettait pas ! Les prêtres avaient finalement renoncé, déçus...

Le Commandeur fit l'appel de ses troupes : ils étaient cent vingt Chevaliers survivants, dont une quarantaine de blessés légers, sur les deux cents que comptait la compagnie avant la bataille...

– C'est la défaite la plus cuisante de la Confrérie depuis sa fondation, dit simplement le Commandeur à Ambor, qui était enfermé avec lui.

– Nous avons perdu une bataille, pas la guerre ! s'exclama le fougueux capitaine.

– Peut-être, fit un autre, dubitatif. Mais le problème, c'est que nous ne sommes plus en mesure de la mener, cette guerre !

– Quelles sont nos chances, Commandeur ? demanda une voix depuis un autre cachot.

– Elles sont minces, je ne vous le cache pas, répondit celui-ci. Mais elles existent ! Gérald et Qadwan, les deux Maîtres Sorciers, sont libres et à l'extérieur : je ne doute pas une seconde qu'ils ont déjà décidé d'un plan. À mon avis, ils ont pris la route d'Ys d'où ils ramèneront sûrement du renfort.

Même si elles comportaient beaucoup d'incertitudes, les paroles du Commandeur rassérénèrent les Chevaliers.

18
LA BALANCE DES CLARTÉS

Guillemot émergea du coma dans lequel il avait sombré après avoir subi le déchaînement des ténèbres, la tête bourdonnante et la gorge brûlante. Il étancha sa soif en buvant goulûment.

Il se sentit mieux. Il constata avec surprise, et soulagement, que les barrières magiques malmenées par l'Ombre avaient repris leur place. L'Armure d'*Ægishjamur*, renforcée par *Odala*, le Graphème protecteur des espaces clos, luisait de sa rassurante lumière bleue. Les huit branches de *Hagal*, la Grande Mère, crépitaient tranquillement de leurs flammes froides et rouges. Enfin, il sentait toujours sous lui, enfoncé profondément dans la pierre, *Mannaz*, le lien avec les Puissances, l'œuf stellaire qui l'avait définitivement mis à l'abri de son ennemi...

L'Apprenti aurait cru, pourtant, qu'après les assauts de l'Ombre, et compte tenu de l'état de faiblesse dans lequel il se trouvait, ses protections magiques se seraient effondrées. Car c'était bien l'*Önd*, le souffle vital, qui chargeait en énergie les Graphèmes à l'origine des sortilèges ! Un Sorcier fort faisait une magie forte, un Sorcier faible, une magie faible. C'était étrange : on aurait dit que les Graphèmes vivaient une existence propre et qu'ils avaient régénéré les sortilèges sans faire appel à lui ! On aurait même dit que les Graphèmes le protégeaient...

Guillemot ne gaspilla pas ses forces à s'étonner ni à chercher une explication : c'était très bien ainsi. Dans son état, il n'aurait pas pu résister à une autre attaque de son implacable adversaire sans l'aide des Graphèmes...

Lorsque l'Ombre pénétra à nouveau dans la pièce, elle marqua un temps de stupeur en découvrant les barrières magiques, manifestement neuves.

– Bien... très bien, mon garçon... J'espère que tu as dépensé beaucoup d'énergie... pour restaurer tes sortilèges...

Il y avait, dans les chuchotements de l'Ombre, quelque chose de presque joyeux qui inquiéta Guillemot, plus encore que la colère qu'elle avait manifestée la dernière fois.

– Je me sens d'attaque aujourd'hui... Une victoire... en appelle une autre... n'est-ce pas, mon garçon...

– Que voulez-vous dire ? demanda Guillemot d'une voix faible, ce qui sembla réjouir son adversaire.

– J'aime voir mourir les fleurs turquoise... dans les champs de poussière...

Les propos de l'Ombre étaient encore plus difficiles à saisir que d'habitude, et l'Apprenti n'insista pas.

– Tu n'aurais pas dû... te donner tout ce mal avec tes barrières... reprit l'Ombre aussitôt. C'est toi bientôt... qui les feras disparaître... pour te jeter dans mes bras...

– Compte dessus ! cria Guillemot d'une voix cassée.

L'Ombre ricana. Elle s'assit contre un mur du cachot, du moins telle fut l'impression de Guillemot ; à cette distance, il la distinguait mal.

– Bavardons un peu, veux-tu... Nous avons tant à nous dire...

La voix caverneuse s'était faite caressante. Guillemot se sentit mal à l'aise.

– Dis-moi, mon garçon... Parle-moi de tes parents... Comment vont-ils ?...

Le cœur de Guillemot battit plus fort.

– Je n'ai rien à vous dire! Ma vie ne vous regarde pas!

– Mais au contraire, mon garçon... au contraire... Dis-moi... ta mère est-elle toujours aussi jolie?... La blonde Alicia... à la peau si douce...

Guillemot ouvrit la bouche de stupéfaction. Comment... comment savait-il? Et que signifiaient ces allusions?

– Taisez-vous! hurla-t-il.

La voix de l'Ombre s'adoucit encore.

– J'ai tous les droits, mon garçon... Surtout celui de te parler de ta mère...

– Non! Pas de ma mère!

Dans la tête de Guillemot, les pensées se bousculaient, s'entrechoquaient. Lui échappaient. Il avait l'impression qu'une main aux ongles acérés s'était introduite dans sa poitrine et s'amusait à lui griffer le cœur.

– Parlons de ton père, alors...

– De mon père? Pourquoi de mon père?

Guillemot se sentait près de fondre en larmes.

– Pourquoi... Tu me demandes pourquoi... Mais enfin, mon garçon... Parce que ton père, que tu n'as jamais connu... ton père que l'on t'a caché depuis que tu es né... celui qui a aimé ta mère Alicia... ton père, Guillemot... C'EST MOI...

– NOOON! NOOON!

L'Apprenti Sorcier se prit la tête entre les mains, et hurla. Il devenait fou. Son père, ce monstre, ce démon! C'était impossible! Il ne voulait pas le croire. Il ne devait pas le croire!

Mais... si c'était lui? Qu'attendait-il, dans ce cas, pour faire cesser toute cette souffrance? Qu'attendait-il pour effacer ces barrières et se précipiter contre lui, le serrer dans ses bras?

L'Armure d'*Ægishjamur* se mit à briller plus fort et *Hagal* brûla avec davantage de vigueur... Comme pour mettre en garde Guillemot qui s'était levé et titubait.

– Viens, mon garçon... viens rejoindre ton père... Guillemot... mon fils...

L'Apprenti fit un pas, puis un autre, dans sa direction, comme un somnambule. Désormais, tout lui apparaissait clairement : son père, qu'il cherchait depuis toujours, était là, de l'autre côté des barrières qu'il avait stupidement érigées ! Son père l'attendait, il allait le prendre dans ses bras. Tout était fini...

C'est alors qu'un Graphème se matérialisa dans l'esprit de Guillemot. Un Graphème en forme de balance, nimbé d'une chaude clarté. *Teiwaz*, le signe d'Irmin, l'équilibre, la loi et l'ordre, l'invincible principe de justice et de cohésion du monde !

À peine installé dans l'esprit de Guillemot, le Graphème combattit les éléments de magie subtile que l'Ombre avait insérés de façon invisible dans ses paroles. Une magie terriblement douce, qui empêchait le garçon affaibli de raisonner normalement et le privait de sa volonté, le transformant en pantin stupide.

Teiwaz travailla efficacement à rétablir la sérénité et l'harmonie dans ses pensées.

L'Ombre vit bientôt Guillemot hésiter, puis revenir sur ses pas.

– Qu'attends-tu... mon fils ?...

Les chuchotements devenaient inquiets. *Teiwaz* balaya les particules magiques qui accompagnaient les paroles de l'Ombre avant qu'elles n'atteignent le cerveau de l'Apprenti. Guillemot rassemblait peu à peu ses esprits.

Si l'Ombre était son père, pourquoi avait-elle cherché à lui faire du mal, en déchaînant sa magie contre lui, lors de leur précédente rencontre ? Un père n'agit pas comme cela avec son fils ! Son fils...

Une évidence le frappa tout à coup. Alicia n'était pas sa vraie mère ! Il le savait depuis les révélations du Seigneur Sha à ce sujet, et surtout, depuis l'aveu qu'elle-même lui avait fait à propos du bébé volé dans la maternité ! Il le savait, et il s'était résigné à l'évidence. Même si la seule idée que cette femme, qu'il aimait plus que tout au monde, n'était pas sa mère le faisait suffoquer de douleur...

Il le savait, lui ! Mais pas l'Ombre.

L'Ombre s'était certainement renseignée, elle avait appris le nom d'Alicia et ce à quoi elle ressemblait, l'Ombre avait su qu'il ne connaissait pas son père. Elle avait essayé de le tromper ! Et elle avait failli réussir... Comment avait-il pu tomber dans un piège aussi grossier ? Comment avait-il été tenté de se jeter dans les bras de ce monstre ?

Guillemot, ignorant tout du travail accompli par *Teiwaz* contre la magie insidieuse de son tourmenteur, tourna un visage rouge de colère en direction de l'endroit où il devinait l'Ombre, assise :

– Je ne viendrai pas ! Vous n'êtes pas mon père !

L'Ombre comprit que Guillemot lui avait échappé.

Il ne savait par quel sortilège, mais elle l'avait perdu, alors qu'elle touchait au but !

Elle hurla de rage et déchaîna ses boules noires contre l'Armure qui les stoppa.

– Tu ne perds rien pour attendre... Lorsque je reviendrai... tu me supplieras de te tuer... pour avoir moins mal...

Les ténèbres s'animèrent et prirent la direction de la porte, qui s'ouvrit et se referma en claquant. Guillemot s'autorisa un sourire satisfait : il avait tenu tête à l'Ombre un jour de plus !

19
LA SOURCE

– Comment va-t-on s'y prendre ?

– J'ai ma petite idée.

Telle fut la réponse que donna Coralie à Romaric qui s'inquiétait à juste titre de la façon dont ils allaient bien pouvoir repérer une poignée de radeaux au milieu de la Mer des Brûlures...

Ils avaient quitté les Collines Grises à l'aube. Tournant le dos à Yénibohor, ils remontaient à présent la côte vers le nord-est.

– Et c'est quoi, ta petite idée ?

– Tu verras bien.

Romaric soupira. Il n'aimait pas lorsque Coralie jouait les mystérieuses ! Que s'imaginait-elle ? Qu'il allait la supplier pour savoir ce qu'elle mijotait ? Il s'enferma dans un silence boudeur. Mais bientôt il n'y tint plus :

– Allez, Coralie, dis-moi ! On fait équipe, oui ou non ?

– Ah ! Voilà enfin une bonne question !

La jeune fille s'arrêta et l'observa en inclinant légèrement la tête. Elle était adorable avec ses grands yeux bleus et ses longs cheveux noirs qu'agitait un petit vent de mer. Romaric se troubla.

– Qu'est-ce que tu veux dire ?

– Moi ? Rien. Et toi ? Tu veux me dire quelque chose ?

Elle lui décocha un sourire cajoleur. Le garçon se sentit fondre. Il savait bien que ce n'était pas une bonne idée de partir seul avec cette fille qui... cette fille qui... cette fille à laquelle il pensait tous les soirs avant de s'endormir ! Qui parvenait d'un seul regard à stopper net son cœur dans sa poitrine, pour le relancer de plus belle au galop. Qui l'exaspérait parfois, mais l'attendrissait souvent. Qui lui valait de la part de ses amis des sourires moqueurs et entendus, mais qui lui manquait affreusement lorsqu'elle était loin... En définitive, il ne l'aurait pour rien au monde laissée avec un autre ! Et peu importait, à la réflexion, qu'il ne sache pas où ils allaient : il était avec elle, et cela lui suffisait.

– Oui, bégaya enfin Romaric, je veux te dire... que... eh bien que ce n'est pas grave si je ne sais pas où l'on va si toi tu le sais. Parce que l'on est ensemble et que... c'est bien comme ça.

Coralie eut une moue charmante. Elle fit mine de réfléchir à ce qu'il venait de dire, décida que cela avait valeur de compliment et, en grommelant quelque chose à propos de la stupidité des garçons, se remit en route.

Qadwan s'arrêta un moment pour souffler. Depuis que Gérald et Yorwan l'avaient quitté pour essayer de lever une nouvelle armée contre Yénibohor, le vieux Sorcier traînait la jambe en direction du Bois des Pendus où ils s'étaient donné rendez-vous. Il était chargé de s'y installer et de faire patienter les renforts qui arriveraient en avance...

Il soupira. La démarche de ses amis lui semblait si incertaine !

Il ressentit avec force la nostalgie de son gymnase de Gifdu. Après une courte pause, il reprit sa marche. Le Bois des Pendus était encore loin pour ses jambes fatiguées.

Coralie et Romaric marchaient d'un bon pas. L'après-midi, ils parvinrent à l'extrémité d'une sorte de cap, entouré de falaises abruptes. Celles-ci n'étaient pas très hautes, mais elles plongeaient à pic dans la mer et semblaient inaccessibles. Romaric se pencha par-dessus le bord. Il aperçut, en contrebas, jaillissant de la roche et éclaboussant les flots, un filet d'eau argenté.

– Voilà, annonça-t-il. On ne peut pas aller plus loin. On fait demi-tour ?

– Non. On est arrivés. Il n'y a plus qu'à attendre.

– Attendre ? Mais tu es folle ! Et les Gommons ?

Les féroces Gommons hantaient toutes les côtes du Monde Incertain.

– Il n'y en a pas, ici, dit calmement Coralie en cherchant des yeux un endroit où s'installer.

– Comment peux-tu en être si sûre ?

– Il n'y a pas de plage dans le coin. Les Gommons aiment les plages...

– Bon, d'accord, reconnut à contrecœur Romaric. Mais pourquoi attendre, et qui ? Le Peuple de la Mer ? Tu as rendez-vous ?

– Les tribus du Peuple de la Mer vivent sur la mer qui est salée, mais boivent de l'eau douce. Et il n'y a le long des côtes que trois sources où elles peuvent venir se ravitailler sans craindre l'attaque des Gommons. Je le sais, mon amie Matsi me les a montrées, sur une sorte de carte ! Si nous attendons ici, nous rencontrerons fatalement des gens du Peuple de la Mer...

Romaric était impressionné.

– Combien de temps, à ton avis, faudra-t-il attendre ?

Coralie réfléchit.

– Il y a trente tribus. Elles peuvent tenir environ trois semaines avec le plein d'eau douce. Elles ne vont jamais aux sources ensemble. Tu imagines l'embouteillage, avec leur vingtaine de radeaux par tribu ? Avec trois sources, donc... Disons que l'on ne devrait pas attendre trop longtemps ! Il suffira de demander aux premiers qui viendront de nous prendre à bord et de nous conduire à la Sixième Tribu, celle de Wal et Matsi !

Le garçon ne trouva rien à répondre. Pourquoi est-ce que Coralie se révélait toujours une fille exceptionnelle quand ils n'étaient que tous les deux ? Il aimerait tant pouvoir savourer sa fierté devant les autres !

Ils dénichèrent à l'aplomb de la source, entre deux rochers, un recoin suffisamment grand pour les abriter du vent, et qui offrait, de surcroît, une vue dégagée sur la mer. Ils s'y installèrent.

– Je peux me mettre contre toi ? Ce sera plus confortable pour tous les deux...

Sans attendre sa réponse, Coralie se blottit contre la poitrine de Romaric. Celui-ci resta un moment interdit, puis l'entoura finalement de ses bras. Elle soupira d'aise.

– Ça va ? demanda-t-il après avoir soufflé sur les cheveux sombres qui lui chatouillaient la figure.

Il reçut en réponse un oui qui le fit frissonner des pieds à la tête. Il s'enhardit et posa sur les mêmes cheveux qui revenaient lui caresser la joue un baiser furtif qu'elle ne sentirait jamais. Puis il la serra plus fort dans ses bras.

Le soir amena la fraîcheur. Ils déroulèrent leurs duvets, qu'ils avaient pris en même temps que les provisions chez les parents d'Agathe, et s'y glissèrent tout habillés.

– Tu penses que le Peuple de la Mer pourra faire quelque chose pour Guillemot ?

– Je ne sais pas, avoua Coralie. Mais ils détestent les prêtres de Yénibohor qui enlevaient autrefois leurs enfants. Ils seront sans doute heureux de nous aider.

– Ils ont quand même une drôle de vie, continua Romaric, qui se sentait exceptionnellement bavard. Passer son temps sur des radeaux, à éviter les méduses Brûleuses en mer et les Gommons près des côtes !

– Tu sais, avant, il n'y avait pas de Gommons dans le Monde Incertain, répondit Coralie en se mordillant les lèvres. C'est nous qui les leur avons envoyés ! Quand la Confrérie les a chassés d'Ys, à la fin du Moyen Âge... Autrefois, le Peuple de la Mer vivait dans des villages, sur la côte, comme les pêcheurs qui nous ont hébergés sur l'Ile du Milieu. Après, ils n'ont pas eu le choix : c'était vivre sur la mer ou mourir sur la terre...

– C'est terrible ! comprit Romaric, subitement grave. Je suis sûr que personne à Ys ne sait que nous sommes responsables de ce malheur !

– Au début, j'ai réagi comme toi. Mais Wal, le Gardien des Objets, et Matsi, sa fille, m'ont fait voir les choses différemment... En fait, le destin ne s'est pas acharné contre eux : il leur est seulement clairement apparu et il leur a montré deux chemins possibles ! En choisissant le plus difficile, ils ont accepté de voir leur monde avec un œil neuf. Les Brûleuses, qui règnent sur la Mer des Brûlures, étaient leurs ennemies lorsqu'ils étaient pêcheurs ; elles sont devenues leurs protectrices. Les Gommons, en les tenant éloignés des côtes, les ont préservés du danger des autres hommes ! Aujourd'hui ils n'ont pas besoin de travailler, ils ne dépendent d'aucun maître, ils vont et viennent à leur guise ! Tu vois, ils ont su transformer ce qui était au départ une contrainte en liberté...

Le discours enflammé de Coralie laissa Romaric songeur. Ses propres repères provenaient du Pays d'Ys, et il était stupéfait de voir son amie si bien comprendre des gens tellement différents...

– On devrait peut-être établir des tours de garde, lui suggéra Romaric alors qu'elle s'apprêtait à se pelotonner encore contre lui. Si tes amis viennent cette nuit, on risque de les rater !

– Tu as raison, approuva-t-elle. Alors tu commences...

Romaric referma une nouvelle fois ses bras autour d'elle et sourit. Les veilles sur les remparts de Bromotul étaient quand même beaucoup moins agréables qu'ici!

20
La Route des Marchands

Gontrand et Agathe avaient quitté les Collines Grises en même temps que leurs compagnons. Ils avaient immédiatement pris la direction du sud-ouest, au grand étonnement d'Agathe, car elle s'était laissé dire que le géant Tofann habitait les steppes du Nord Incertain. Gontrand lui avait expliqué qu'il avait longuement réfléchi à la question, et qu'il était arrivé aux deux conclusions suivantes : le Tofann qu'il connaissait aimait bien trop le danger et les batailles pour s'embêter sagement dans une steppe, et le Nord Incertain était de toute façon beaucoup trop loin pour faire le trajet en six jours seulement ! Le garçon pensait donc plus raisonnable, et plus intelligent, de rejoindre la route reliant Virdu à Ferghânâ, et de se renseigner, auprès des marchands qu'ils y rencontreraient, au sujet des mercenaires pouvant ressembler à Tofann...

Agathe n'avait rien trouvé à redire au plan de Gontrand, et ils avaient cheminé ainsi jusqu'à atteindre, dans la soirée, la Route des Marchands.

Ce n'était en fait qu'un large chemin de terre, pavé par endroits, souvenir de temps plus fastes où elle était entretenue. Des ornières profondes indiquaient qu'elle restait malgré tout très fréquentée, et pour cause : elle reliait Virdu, la cité des Petits Hommes qui extrayaient de leurs mines les pierres précieuses servant de monnaie dans le Monde Incertain, et Ferghânâ, la principale ville commerçante. Autrefois, la route se prolongeait d'un côté jusqu'à Djaghataël – aujourd'hui à l'abandon –, et de l'autre jusqu'à Yâdigâr, l'actuel repaire des pires brigands de cette terre.

Gontrand et Agathe repérèrent un bosquet d'arbres rabougris, proche de la route, et décidèrent de s'y installer, dans l'attente du passage de marchands susceptibles de les mettre sur la piste de Tofann. Si jamais il s'agissait de voleurs, il suffirait aux jeunes gens de rester cachés derrière les arbres...

– Cette marche m'a épuisée !

– Tu n'es pas la seule. J'ai cru qu'on n'y arriverait jamais...

– C'est dingue quand même, la vie, continua Agathe en étalant avec précaution son duvet sur le sol. Si on m'avait dit, il y a une semaine, que je dormirais au bord d'une route infestée de bandits, dans l'attente d'un beau guerrier barbare, à côté d'un garçon que je connais à peine !

– Tu exagères, répondit Gontrand. On commence à se connaître, depuis le temps ! Rappelle-toi : on s'est rencontrés pour la première fois dans le palais de Thunku...

– Je n'étais pas à mon avantage ! l'interrompit Agathe, amusée, en entrant dans son jeu. Toute sale, couverte de chaînes...

– Peut-être mais, pour une fois, quelqu'un était heureux de nous voir débarquer là où on ne nous attendait pas !

Ils éclatèrent de rire.

– La deuxième fois, reprit Gontrand, c'était à Dashtika-zar, pour la Samain. Je dansais avec une fille, que j'ai dû laisser tomber pour te courir après sur la lande.

– Tu le regrettes ?

– Disons que... on ne s'est pas trop mal amusés, chez les Korrigans !

– Tu appelles ça t'amuser ? Remarque, en y réfléchissant... il y a eu des moments assez comiques, c'est vrai. Quand Bertram a essayé de faire de la magie, par exemple : la tête qu'il a faite quand il s'est rendu compte que ça ne marchait pas !

– Oui, et quand, sûre de toi, tu as donné au roi une mauvaise réponse. Tu aurais dû te voir, quand tu as compris que tu avais dit n'importe quoi !

– Oh, ce n'est pas drôle !

Ils rirent malgré tout encore une fois de bon cœur. Puis l'évocation de ces aventures vécues en compagnie de Guillemot les amena à penser à leur ami prisonnier à Yénibohor...

– J'espère que Guillemot va bien, soupira Gontrand. Si c'est l'Ombre qui l'a enlevé, il doit vivre des moments terribles ! Rien que d'y penser, j'ai envie de massacrer la terre entière !

– Tu as raison. Je ressens la même chose. C'est tellement injuste ! Il n'y a pas meilleur que Guillemot. Pas plus généreux. Pas plus doué. Pas plus...

– Tu ne serais pas amoureuse ? se moqua Gontrand.

– Moi ? Non ! Enfin, si, un peu, finit-elle par avouer. Mais quelle fille ne serait pas amoureuse de Guillemot ? À la fois si fragile et si fort, si maladroit et si talentueux...

– Ça suffit ! l'arrêta Gontrand en rigolant. Ses pauvres oreilles doivent siffler !

– Dis donc, lança subitement Agathe, tu ne serais pas jaloux, par hasard ?

– Moi ? Bien sûr que non !

– Oui, oui, je vois, conclut Agathe, avec un sourire en coin, en se glissant dans son duvet. Bon, à demain, Gontrand. Fais de beaux rêves !

– Ouais, grommela-t-il en guise de réponse, et toi, ne rêve pas trop !

Il se coucha à son tour mais ne trouva pas le sommeil tout de suite, malgré la fatigue de la journée. Les filles étaient vraiment incroyables ! On se montrait gentil, complice, attentionné, et paf ! elles s'imaginaient qu'on était amoureux ! En plus, Agathe n'était même pas belle. Trop grande, trop maigre. La bouche trop large, les yeux trop noirs, les cheveux trop sombres. D'accord, elle était intelligente et elle possédait un vrai caractère. Elle dégageait aussi quelque chose de magnétique et avait, il fallait le reconnaître, de la classe. Mais c'était tout ! Gontrand s'efforça de la chasser de ses pensées. Difficile : elle dormait à côté de lui, et il pouvait entendre son souffle régulier à quelques centimètres de son oreille. Un oiseau de nuit poussa un cri. Le vent fit bruire les feuilles de l'arbre juste au-dessus. Le garçon sourit : les notes d'une mélodie lui vinrent à l'esprit…

Ils furent réveillés le lendemain par le fracas d'un convoi qui passait sur la route. Ils bondirent hors de leurs duvets, sortirent en courant du bosquet et se précipitèrent vers le chariot de tête. Un mercenaire Hybride, mélange d'Ork et d'humain, grogna de surprise et leva sa lance. Il la reposa aussitôt en reconnaissant des enfants, et prit un air méprisant. Le conducteur, un homme d'apparence joviale, arrêta son véhicule en tirant sur les rênes et en calmant de la voix les deux énormes bœufs jaunes qui y étaient attelés.

Gontrand s'adressa à lui en Ska, la langue du Monde Incertain. Il lui demanda s'il ne connaissait pas un guerrier répondant au nom de Tofann, et qui travaillait autrefois comme mercenaire pour les marchands de Ferghânâ.

– Un géant originaire des steppes du Nord ? lui répondit l'homme en se grattant la tête. Avec des dragons tatoués sur le crâne ? J'en connais un, qui a créé il y a quelques mois une compagnie de protection sur cette même route. Il est à la tête d'une vingtaine d'hommes, des guerriers des steppes, comme lui. Sa compagnie est la meilleure sur le marché actuellement. Si j'avais eu les moyens, j'aurais fait appel à elle, plutôt qu'à ces Hybrides qui ne pensent qu'à se saouler à chaque halte !

– Et où est-ce que je peux trouver cette compagnie ? s'enquit joyeusement Gontrand qui voyait ses intuitions se révéler exactes.

– Sur la route, évidemment ! Où exactement, je ne sais pas. Mais si tu n'es pas trop pressé, je te conseille d'attendre : il passera fatalement par là un jour ou l'autre…

Gontrand et Agathe remercièrent chaleureusement l'homme pour ses renseignements. Ils lui arrachèrent la promesse de dire à Tofann, s'il le rencontrait, qu'un garçon du nom de Gontrand le cherchait et l'attendait dans un bosquet proche de la route. Puis ils retournèrent à l'abri des arbres.

– Le marchand a raison, dit Agathe. On ne sait pas où se trouve ton ami. En marchant à sa rencontre du mauvais côté, on risque bien de le rater… La meilleure chose à faire, c'est de ne pas bouger, et de se montrer patients !

Gontrand reconnut la justesse du raisonnement. Ils pouvaient attendre : ils disposaient de cinq jours, moins un pour le trajet de retour. Le plus dur allait être d'occuper cette attente. Si seulement il avait pris sa cithare avec lui !

21
EN ROUTE POUR LE DÉSERT VORACE

Le premier jour, Ambre et Thomas s'étaient dirigés plein sud. Ils avaient atteint la Route des Marchands, mais avaient renoncé à l'emprunter, car elle s'approchait trop à leur goût de Yénibohor. Ils avaient alors obliqué sud-est, afin d'éviter la cité maudite, tout en conservant leur cap vers le Désert Vorace. Leur première nuit sans les autres, ils l'avaient passée quelque part au milieu de champs en friche, dans un ancien abri de berger.

Le deuxième jour, ils avaient dû traverser le Fleuve Mouillé et, plus loin, la Rivière Triste, avant de fouler l'herbe haute de l'interminable prairie du Sphinx à Deux Têtes. Ces deux traversées leur avaient beaucoup coûté en pierres précieuses. D'abord auprès du passeur qu'ils avaient fini par dénicher en longeant les rives du fleuve, puis auprès d'un homme qui pêchait dans sa barque au bord de la rivière. Ambre et Thomas auraient été incapables de dire où ils avaient dormi la deuxième nuit : ils s'étaient écroulés de fatigue au pied d'un gros buisson qui portait des fruits mauves.

Le troisième jour, ils distinguèrent dans le lointain la masse jaune et étincelante du désert...

– Ouf ! Je ne suis pas fâché d'arriver..., avoua Thomas en réajustant son sac à dos d'un coup de rein.

– Moi aussi je suis fatiguée, répondit Ambre en jetant

un coup d'œil à sa boussole, instrument qui leur avait permis d'emprunter cet itinéraire sauvage. On avance à une allure de dingues ! Mais enfin, nous n'avons pas le choix : six jours, c'est court…

Ni l'un ni l'autre n'étaient d'un naturel bavard. Ils avaient échangé peu de paroles depuis leur départ. Ils s'étaient contentés de regards puis, au fil du temps, de sourires.

Bertram parti pour une destination mystérieuse, Ambre avait appréhendé de se retrouver seule avec Thomas, un garçon à ses yeux balourd et fruste. Mais rapidement, grâce à la simplicité avec laquelle ils abordèrent ensemble les problèmes du voyage, une complicité s'instaura. La jeune fille s'était aperçue que Thomas possédait un caractère entier et facile, et que sa rudesse et sa gaucherie dissimulaient en fait une belle franchise et une grande générosité. Elle avait compris également qu'il ne savait pas rester seul : Thomas avait besoin de quelqu'un, quelqu'un à accompagner, quelqu'un à qui prodiguer son dévouement et son amitié. C'était Agathe, c'était Guillemot. Aujourd'hui, c'était elle. Ambre se sentait investie d'une responsabilité nouvelle…

– Quelle chance que l'on n'ait pas rencontré le Sphinx à Deux Têtes ! s'exclama Thomas en secouant sa tignasse rousse.

À l'approche du but, il éprouvait le besoin de parler. C'était sa façon à lui d'être joyeux.

– Bah, il est mort depuis longtemps, dit Ambre. Tué par des paysans qui en avaient assez de voir leurs enfants se faire dévorer quand ils allaient garder les troupeaux dans la prairie ! C'est Guillemot qui m'a raconté cette histoire…

– Il posait aussi des devinettes, ce sphinx-là ? Deux peut-être, puisqu'il avait deux têtes !

– Je ne sais pas. Il faudrait le demander à ceux qu'il a mangés.

Ambre se tut soudain. Elle avait prononcé sans faire attention le nom de Guillemot, et cela avait suffi à lui faire mal. Ils continuèrent de marcher en silence.

– Il te manque beaucoup ? demanda Thomas qui avait vu le visage de sa nouvelle amie s'assombrir.

– Qui ça ?

– Ben... Guillemot, pardi !

– Bien sûr qu'il me manque, lui confia Ambre après un moment d'hésitation. À un point incroyable, que j'ai du mal à m'expliquer. Tu vois, quand il n'est pas avec moi, j'ai l'impression que plus rien n'a d'intérêt, ni d'importance. C'est horrible... Est-ce qu'il ressent ça, lui aussi ?

– Oh, certainement.

– Tu en es sûr ? Comment peux-tu le savoir ? Il t'a fait des confidences ?

– Il ne m'a rien dit, tenta maladroitement de se justifier Thomas, mais il y a des choses que les filles voient et que les garçons ne voient pas, et d'autres que les garçons voient et que les filles ne voient pas. Je suis un garçon. Et je peux te dire que j'ai bien vu comment Guillemot te regardait...

– C'est très gentil, Thomas, de me dire ça, murmura Ambre, émue, avant de se plonger dans une longue rêverie.

Ils parvinrent un peu plus tard à la limite du Désert Vorace. La prairie s'arrêtait net, comme la terre s'arrête devant la mer. À perte de vue, c'était du sable, du sable frémissant, qui semblait attendre...

– Brrr ! fit Ambre en frissonnant. Quand tu penses que ce désert t'avale et te mange si tu as le malheur d'y mettre le pied !

– Qu'est-ce qu'on va faire ?

– Guillemot m'a expliqué que les Hommes des Sables communiquaient entre eux avec de la fumée.

– Comme les Indiens du Monde Certain ?

– Oui.

– Et tu connais leurs signaux, aux Hommes des Sables ?

– Non. Mais je pense qu'un simple feu, s'ils l'aperçoivent, suffira à les intriguer, et à les attirer ici.

Ils se mirent vainement en quête de branches, et se rabattirent sur des herbes sèches qu'ils entassèrent.

– C'est même mieux que du bois, déclara Ambre avec satisfaction et en craquant une allumette sous le premier tas. L'herbe fait davantage de fumée !

En effet, celle-ci se consuma aussitôt en dégageant une épaisse fumée qui les obligea à reculer.

– J'espère que ce sont bien les Hommes des Sables qui vont venir, dit Thomas, et pas des Orks ni des brigands !

– Avec leurs raquettes de pierre, les Hommes des Sables sont les seuls capables de traverser le Désert Vorace, le rassura Ambre. Et puis, si des Orks se pointent, tu leur feras passer un sale quart d'heure, pas vrai ?

L'allusion d'Ambre à son acte de bravoure dans la forêt de Troïl fit naître un sourire sur les lèvres du garçon.

– Je ne sais pas mais, ce qui est sûr, c'est que je défendrai chèrement nos vies !

– Je n'en doute pas une seconde, Thomas...

Ils se turent et s'appliquèrent à entretenir le feu d'herbes sèches.

« Je vous en supplie, lança silencieusement Ambre en direction du Désert Vorace, venez ! Guillemot a besoin de vous ! Et nous avons si peu de temps... »

22

LA TORTUE-MONDE

Curieusement, il semblait à Guillemot qu'au fil des heures, peut-être même des jours – la notion du temps lui échappait désormais totalement ! – il était moins fatigué qu'au début de son emprisonnement. Pourtant, il n'avait toujours pas mangé, et le broc d'eau était presque vide.

En fait, il ne buvait plus depuis longtemps. Il n'avait pas soif. Une sensation de bien-être l'avait envahi lorsque *Kénaz*, le Graphème du feu qui réchauffe, *Ingwaz* la Riche, qui aidait à concentrer les énergies, et *Laukaz*, le fluide vital, s'étaient allumés à l'intérieur de lui. Le garçon en était certain maintenant : les Graphèmes l'avaient pris en charge, et se comportaient comme autant de présences autonomes et bienveillantes.

Maître Qadehar lui avait dit, un jour, à propos du Grand Mage Charfalaq, qu'il arrivait que le corps ne nourrisse plus la magie mais que la magie nourrisse le corps. Cela était en train de lui arriver...

Aussi l'Ombre marqua-t-elle un nouveau temps d'arrêt quand elle pénétra pour la quatrième fois dans la pièce obscure.

– C'est impressionnant... très impressionnant... Tu devrais te tordre de faim et de soif... ramper sur le sol... et me supplier de mettre un terme à ton tourment... Au lieu de cela... je te trouve en éveil... calme et sûr de toi...

Guillemot ne répondit pas. Il était à l'abri derrière l'Armure d'*Ægishjamur* et d'*Odala*, rassuré par le crépitement de *Hagal* et la présence sous lui, dans la pierre, de l'œuf cosmique de *Mannaz*. *Teiwaz* bloquait l'accès à son esprit de toute magie extérieure et insidieuse, et *Ingwaz*, *Kénaz* et *Laukaz* le maintenaient en vie. L'Ombre ne pouvait plus l'atteindre. Et elle le savait !

– En vérité, mon garçon... tu m'exaspères et me ravis en même temps... Je n'ai qu'une envie... celle de te détruire... et pourtant je ne peux m'empêcher de t'admirer... Tu m'obliges à aller chercher ce qu'il y a de plus fort en moi... et je t'aime pour cela... oui, je t'aime...

L'Ombre s'anima autour du mur d'énergie.

– J'ai cherché dans mes grimoires... un moyen de t'abattre... Et j'ai trouvé la solution... Une solution vieille comme le monde... vieille comme ce monde...

L'attention de Guillemot fut attirée par un objet étrange, à proximité de l'Armure d'*Ægishjamur*. Il s'efforça de mieux voir. C'était en réalité trois objets que l'Ombre avait disposés par terre : un aigle en bois, les ailes dressées au-dessus de la tête et le bec menaçant, une tortue de terre cuite, figée dans une posture de souffrance, et un disque de pierre reposant sur la tranche, couvert de signes impossibles à distinguer. L'Apprenti s'étonna. Que signifiait tout cela ?

– Je vais te laisser... avec une nouvelle amie... Je serais bien resté mais... je crains qu'elle ne s'en prenne aussi à moi...

L'Ombre ricana et s'approcha de la porte. Au moment de quitter la pièce, elle lança quelques mots, âpres et durs, d'une sonorité qui n'était pas humaine. Instinctivement, Guillemot se tourna vers les objets.

Le premier à s'animer fut le disque. Il avait la taille d'une petite assiette et l'épaisseur d'une grosse galette. Et il frémissait. Guillemot plissa les yeux. Encore une fois, il s'était trompé : ce n'était pas le disque qui bougeait, mais les signes qui y étaient gravés ! À sa grande stupéfaction, les signes se laissèrent tomber sur le sol et avancèrent vers l'Armure en colonne, comme des fourmis. Butant contre le mur magique, les signes-fourmis s'agglutinèrent et se mirent à le ronger... Guillemot n'en croyait pas ses yeux. Un trou se forma rapidement à la base de l'Armure, et l'aigle en bois prit vie.

Il était haut d'une quinzaine de centimètres, et poussa son premier cri perçant en étirant ses ailes, comme s'il était resté figé pendant une éternité. Il s'approcha sur ses pattes du trou creusé dans l'Armure par les signes-fourmis et franchit l'obstacle. Comme il l'avait fait lorsque l'Ombre avait forcé la première barrière, le Graphème de *Hagal* se nimba d'un halo rougeâtre et mit Guillemot à l'abri d'un deuxième mur d'énergie. L'aigle en bois prit alors son envol et se percha dessus. Il poussa un autre cri et commença à donner de puissants coups de bec sur le sortilège. Guillemot frissonna et se recroquevilla, les bras autour des genoux. Il vit la protection magique se lézarder et s'effondrer comme une paroi de cristal, dans un vacarme de verre brisé. C'est alors que la tortue se réveilla...

Elle avait la taille d'une petite tortue terrestre, et la même lenteur de mouvements. Elle bougea la tête, en clignant des paupières. Puis elle ouvrit la bouche et là, Guillemot crut qu'il allait devenir fou : elle se mit à gémir !

– Ahhhhhh... J'ai mal, si mal ! Merci de m'avoir réveillée... Pour partager cette douleur !

La tortue de terre posa son regard d'une vieillesse infinie sur Guillemot, qui sut instantanément qu'il ne pourrait rien, mais rien faire, contre cette créature. Un profond désespoir emplit son cœur.

L'animal monstrueux se glissa par le trou sous l'Armure d'*Ægishjamur* et s'approcha de lui, lentement.

Immédiatement, *Mannaz* l'enveloppa de l'œuf protecteur et le plaça sous le regard des Puissances. La tortue s'arrêta. Guillemot pria de toutes ses forces les cinq éléments pour qu'elle ne ronge ni n'attaque du bec l'enveloppe du Graphème.

– J'ai mal, Guillemot, si mal... Et toi tu es bon, si bon ! M'avoir tirée de mon sommeil... pour prendre un peu de mon fardeau !

Le garçon se sentit tout à coup envahi par une peur panique. Il regarda la tortue. Et il comprit. Il comprit que l'animal était aussi vieux que ce monde parce qu'il ÉTAIT ce monde ! Ou pour le moins son âme. Et qu'il en portait toutes les atrocités, toutes les douleurs. Et c'était cela qu'elle comptait faire : lui transmettre une partie de ses souffrances. Sa raison ne pourrait jamais le supporter. Il sombrerait instantanément dans la folie... Il hurla.

– Tu as raison d'avoir peur... Mais la peur n'est rien, comparée à certaines choses. Tu vas avoir le temps de t'en rendre compte... beaucoup de temps !

La tortue de terre n'essaya pas de traverser l'œuf stellaire. Elle se contenta de fermer les yeux. Aussitôt, Guillemot sentit que quelque chose cherchait à entrer dans sa tête. *Teiwaz* tenta de s'opposer à l'intrusion, mais battit précipitamment en retraite : il n'était pas de taille.

Deux autres Graphèmes surgirent alors à la rescousse, du tréfonds de son être.

Le premier était *Ansuz*, l'Ase et l'Humide, qui affranchit de la peur de la mort et ouvre aux ultimes ressources intérieures. Le second était *Ehwo*, le Cheval et les Jumeaux, le véhicule spirituel.

Ansuz commença par chasser la peur du ventre et du cœur du garçon. Puis, sous la domination douce mais ferme du Graphème, Guillemot entra dans l'état d'extase que les Sorciers appelaient *Odhr*, sans que personne l'ait pourtant, jusqu'alors, vraiment connu.

Enfin, comme la tortue insistait rageusement, et afin que l'*Odhr* dans lequel était plongé Guillemot ne subisse plus ses assauts, *Ehwo* s'empara délicatement de l'esprit du garçon et l'emmena dans les régions de l'âme où nul, pas même les Puissances, n'a accès.

La tortue gémit plus fort. Elle regarda avec une peine immense Guillemot, qui avait naturellement adopté la posture du tailleur et dont les yeux grands ouverts restaient fixés sur le plafond.

– Il est parti... Tu es parti, mon garçon! Même s'il est là... même si tu sembles là!

L'animal en terre fit demi-tour, de sa démarche lente, suivi par l'aigle en bois et par les signes-fourmis qui regagnèrent le disque de pierre où ils s'assemblèrent en spirale.

À l'endroit où les avait déposés l'Ombre, ils se figèrent à nouveau. L'aigle, la tête enfouie sous une aile. La tortue rentrée sous sa carapace.

Dans l'œuf de *Mannaz*, derrière les protections éventrées et brisées d'*Ægishjamur* et de *Hagal*, Guillemot se tenait aussi immobile que les trois objets.

23

AUTOUR DU FEU

Tofann était aux anges. Décidément, Gontrand jouait divinement bien ! Et les airs heureux qu'il tirait de la cithare de l'un de ses guerriers transportaient le géant jusqu'au Pays d'Ys, qu'il ne connaissait pas mais dont il devinait beaucoup de choses grâce aux notes qu'il entendait. Quant aux hommes balafrés et tatoués qui accompagnaient Gontrand en tapant dans leurs grosses mains, ils souriaient d'une manière telle que l'ambiance était réellement à la fête !

Les retrouvailles du jeune musicien et de son ami Tofann avaient eu lieu sur la Route des Marchands, au matin du troisième jour.

Gontrand et Agathe avaient jusque-là trompé leur attente en bavardant et en jouant aux échecs sur un échiquier de terre, avec des pierres et des bâtons en guise de figurines, mais aussi en surveillant les caravanes marchandes qui passaient régulièrement sur la route.

Comme on le leur avait prédit, Gontrand avait fini par apercevoir, en tête d'un riche charroi qui avançait paresseusement, la silhouette familière du guerrier des steppes. Il avait poussé un cri et s'était élancé à sa rencontre en faisant de grands gestes joyeux, à la stupéfaction de Tofann qui avait du mal à en croire ses yeux, et au désappointement d'Agathe qui commençait à beaucoup apprécier son tête-à-tête avec Gontrand.

Le géant avait pris en riant le garçon dans ses bras, le serrant à l'étouffer. Les vingt guerriers du Nord qui constituaient la garde du convoi s'étaient regroupés autour de leur chef pour participer à sa joie, en donnant à Gontrand de grandes tapes d'amitié.

Agathe s'était approchée timidement, impressionnée par ces guerriers aux allures de prédateurs vêtus de cuir et de métal, qui portaient tous sur le corps des tatouages sauvages et, accrochée dans le dos, une épée gigantesque. Tofann, surtout, lui en avait imposé, avec sa taille de géant, ses yeux gris, son visage balafré, son crâne tatoué de dragons et sa voix profonde. La présence de la jeune fille avait bien valu à Gontrand quelques remarques amusées de la part de Tofann, mais Agathe, en retrouvant son aplomb et son mordant, avait été rapidement acceptée au milieu des rires et des exclamations réjouies.

— Je vais t'aider, avait dit Tofann après que Gontrand lui eut expliqué les raisons de sa présence dans le Monde Incertain, au bord de la Route des Marchands. Mes compagnons aussi, sans doute, mais il faut que je leur en parle et qu'ils le décident : ce sont des hommes libres, qui se sont mis librement à mon service pour constituer une compagnie de protection. Ce ne sont pas des serviteurs ! Mais avant, nous devons conduire ces marchands qui nous ont payés pour cela, jusqu'à leur destination. Attends-moi ici, dans ton bosquet : je viendrai te trouver quand nous en aurons terminé…

Tofann avait tenu parole. Il s'était présenté le lendemain soir devant Gontrand, et tous ses guerriers l'accompagnaient.

Gontrand et Agathe avaient donc été les premiers, au milieu du cinquième jour, à rejoindre les Collines Grises où ils s'étaient donné rendez-vous.

– Ah, musicien, lâcha Tofann à la fin d'une ballade chantée par Gontrand, tu me manquais ! Je n'ai jamais retrouvé dans ce monde quelqu'un d'aussi doué que toi !

– Tu vois, Gontrand, ironisa Agathe, c'est une carrière internationale qui s'ouvre à toi !

– Moque-toi, moque-toi, répondit le garçon. Attends un peu, et tu vas voir. Mes amis, annonça-t-il en s'adressant, en Ska, aux guerriers, c'est maintenant la douce Agathe qui va vous chanter un air !

– Tu es fou ? s'insurgea-t-elle à voix basse et en lui faisant les gros yeux. Jamais de la vie je ne…

– Tu devrais pousser ta chansonnette, l'interrompit Gontrand. Les gens des steppes n'aiment pas attendre. Et puis un conseil : ce sont des mélomanes. Si tu chantes faux, tu risques de passer un sale moment…

Agathe l'observa attentivement mais ne put savoir s'il plaisantait ou non. Dans le doute, elle se décida. De toute façon, elle n'avait jamais fui devant aucune épreuve !

Elle demanda à Gontrand de bien vouloir l'accompagner à la cithare, s'éclaircit la gorge, puis se lança dans un chant triste et mélancolique, bien connu au Pays d'Ys.

– *Celles qui vont au bois, c'est la mère et la fille. La fille va soupirant : qu'avez-vous Marguerite ? Je suis fille le jour, et la nuit blanche biche…*

La voix d'Agathe, un peu grave, était juste et poignante, et Gontrand fut agréablement surpris. Décidément, cette fille était étonnante ! À la fin de la chanson, les hommes des steppes applaudirent avec enthousiasme.

Ils ne furent pas les seuls :

– Bravo, Agathe !

– Oui, c'était génial !

Tous se retournèrent d'un même élan vers ceux qui surgissaient de l'ombre.

– Romaric! Coralie!

Gontrand, abandonnant la cithare sur le sol, se précipita au-devant de ses amis.

Romaric et Coralie avaient attendu longuement, au-dessus de la source qui coulait dans la mer, à l'abri du vent dans les rochers, la venue d'une Tribu du Peuple de la Mer en manque d'eau douce. Ce furent finalement les radeaux de la Quatrième Tribu qui s'étaient approchés des falaises, après deux jours d'attente, deux jours qui leur avaient paru durer moins de deux heures, tant ils avaient trouvé de choses à se dire. Le Peuple de la Mer avait été si discret qu'ils avaient failli le laisser repartir sans l'avoir vu. Heureusement, un cri d'enfant avait attiré leur attention et les avait poussés hors de leur abri, jusqu'à l'aplomb de la source, où ils avaient découvert les grands radeaux.

Coralie, les mains en porte-voix, s'était adressée candidement aux hommes et aux femmes sidérés de les voir apparaître au-dessus de leurs têtes. Heureusement, l'épisode du séjour de la jeune étrangère auprès de Wal et de Matsi avait fait le tour des Tribus, et des sourires bienveillants avaient aussitôt remplacé l'expression de surprise et de peur sur leurs visages.

Tous avaient le corps presque nu et hâlé, les cheveux décolorés par le soleil et le sel ; une membrane blanche sur les yeux, qui leur donnait un aspect vitreux, leur permettait de voir sous l'eau.

Le guide des radeaux, celui qui avait la responsabilité de conduire la Tribu sur la Mer des Brûlures au milieu des courants et des Méduses, lui apprit que la Sixième Tribu se trouvait loin d'ici. Coralie demanda s'il était possible de transmettre un message à Wal. Le temps avait passé trop vite et il n'était plus question de se faire conduire jusqu'à lui… On répondit à la jeune fille que, sitôt les citernes remplies, la Quatrième Tribu se ferait un devoir de partir à sa recherche pour lui transmettre son message. Elle expliqua donc la situation, et Romaric suggéra que, si la Sixième Tribu acceptait de leur venir en aide, elle pourrait se rendre directement dans l'une des criques qui s'ouvraient au pied des Collines Grises tombant dans la mer. C'était là en effet que les jeunes gens s'étaient donné rendez-vous avec leurs amis... Romaric et Coralie avaient senti le Peuple de la Mer troublé par leurs révélations au sujet de Yénibohor, des prêtres, et de Guillemot. Le guide de la Tribu leur avait promis de faire diligence pour livrer leur message. Puis, ayant constaté qu'ils ne pouvaient rien faire de plus, Coralie et Romaric avaient décidé de prendre le chemin des Collines Grises, sans se presser...

– Deux jours entiers pour venir jusqu'ici depuis votre source, lança Gontrand à Romaric, avec un clin d'œil. Vous deviez être sacrément fatigués !

– On a pris notre temps, c'est vrai, répondit-il avec un sourire gêné. Mais on a fait vite à l'aller, et Coralie a pensé que mieux valait économiser nos forces pour le retour, compte tenu de tout ce qui nous attendait...

– Ne te justifie pas, Romaric, dit Coralie en toisant Gontrand de haut. Que ce monsieur nous explique plutôt le sourire niais et ravi qu'il arborait pendant qu'Agathe chantait !

– Oh ! oh ! intervint Tofann en riant. Par les esprits de la steppe, on se croirait à Ferghânâ un jour de marché !

Gontrand gratifia son ami d'un sourire reconnaissant, et Coralie prit la main du géant d'un geste affectueux. Ils rejoignirent les autres près du feu. Les présentations furent faites, les récits échangés et la veillée reprit sa tonalité festive. Tofann sortit de son bagage un tambour de peau tendue sur un cercle de bois, et les guerriers entonnèrent un chant âpre et sauvage, qui clamait la rudesse et la beauté de leur steppe natale.

24

LES COLLINES GRISES

Dans la clairière du Bois des Pendus, Qadwan veillait toujours près des braises rougeoyantes du feu. Le soleil se levait doucement, et peinait à défaire les lambeaux de brume accrochés aux arbres.

Yorwan et Gérald apparurent enfin, accompagnés d'un personnage mystérieux enveloppé dans une peau d'ours.

Le vieux Sorcier, heureux de pouvoir enfin dégourdir ses membres ankylosés, donna une accolade fraternelle à Gérald, serra chaleureusement la main de Yorwan, et fit un signe de bienvenue à la silhouette restée à l'écart.

– Nous avons bien travaillé, annonça Gérald d'un ton satisfait. Le chef de la Société de l'Ours a accepté de nous apporter son aide !

Qadwan tourna un regard intrigué vers le personnage qui restait en retrait.

– Approchons-nous du feu, proposa le vieux Sorcier en s'adressant ostensiblement à lui : il fait toujours froid, à l'aube ! Et puis nous serons mieux pour discuter et faire connaissance !

– C'est une bonne idée, en effet, reconnut l'invité mystérieux, d'une voix douce et ferme à la fois.

Il s'approcha et ôta de sa tête le crâne d'ours qui le coiffait. Son geste libéra une longue chevelure et découvrit un beau visage de femme, éclairé par de grands yeux verts.

– Qadwan, annonça Gérald à son ami éberlué, je te présente Kushumaï la Chasseresse, chef de la Société de l'Ours et de la résistance contre Yénibohor...

Il faisait maintenant complètement jour, mais le froid restait vif. Yorwan, drapé dans son large manteau rouge, paraissait soucieux.

– Quelque chose ne va pas ?

– Je sens une présence.

– Une présence... de quelle nature ? s'inquiéta Gérald. Des prêtres, des Orks ? L'Ombre ?

– Non, non, rien de tout cela, le rassura Yorwan.

– Est-ce qu'il s'agit des renforts que nous attendons ? demanda Kushumaï en s'approchant.

– Non. C'est justement bien ce qui m'intrigue ! Je viens de lancer un sortilège d'investigation, pour localiser les gens de l'Ours qui tardent à arriver. En fait de renforts, le sortilège m'a rapporté la présence d'un petit groupe, étrange et hétéroclite, tout proche...

– Peux-tu déterminer où se trouve ce groupe ?

– Oui. Il se trouve... dans les collines, qui sont à l'est du Bois des Pendus.

– Bon, allons-y, dit simplement la Chasseresse en ajustant son épée autour de sa taille. Si c'est une menace, il faut nous en assurer. Et puis bouger nous réchauffera, en attendant nos hommes !

– Alors, Romaric ? Tu vois quelque chose ?

– Rien du tout ! Pourtant, la vue porte loin depuis ces collines ! Si Bertram ou Ambre se montrait, je les verrais tout de suite !

– J'espère qu'il ne leur est rien arrivé, murmura douloureusement Coralie.

– Allons, dit Romaric d'une voix douce en prenant la jeune fille dans ses bras. Nous avons déjà réchappé à tant de choses ! Il n'y a pas de raison pour que ce soit différent cette fois... Tu verras, ta sœur sera bientôt là, et aussi ce grand idiot de Bertram !

Coralie se força à sourire et abandonna sa tête contre la poitrine de son compagnon. Gontrand s'approcha d'eux.

– Désolé d'interrompre un moment aussi romantique, mais Tofann nous signale que des individus approchent de notre campement.

Il les invita à le suivre, et leur fit signe de se dépêcher. Ils rejoignirent Agathe qui, allongée par terre en compagnie des guerriers des steppes, suivait des yeux la progression de quatre individus dans les collines. L'un d'entre eux était une femme accoutrée d'une peau d'ours, l'autre portait un étrange manteau rouge, et les deux derniers étaient habillés... comme des Sorciers du Pays d'Ys !

– Gérald ! C'est Gérald ! s'exclama joyeusement Coralie.

– Tout va bien, Tofann, dit Gontrand au géant qui lui lançait un regard interrogateur. Ils sont avec nous !

Puis il se redressa, imité par ses amis, et fit de grands gestes en direction du petit groupe qui grimpait la pente.

Gérald crut être victime d'un mirage. Il ne faisait pas chaud, pourtant, et il n'était pas dans un désert ! Mais comment expliquer autrement le fait qu'il lui semblait voir Gontrand, Romaric, et Coralie s'agiter là-haut devant ses yeux, alors qu'il les avait laissés au Pays d'Ys à la garde de Bertram ? Et puis, s'ils étaient réels, qui étaient ces gaillards à l'air farouche qui les accompagnaient ?

– Houhou ! Gérald ! C'est nous ! On est là !

Non, ce n'était pas un mirage. Le Sorcier en resta bouche bée...

Contrairement à l'accueil que Kushumaï, heureuse de ce renfort inattendu, réserva à Tofann et à ses hommes, celui que Gérald réserva à Gontrand, Romaric, Coralie et leur amie Agathe, ne fut pas très chaleureux ! Surtout lorsque le Sorcier apprit que Bertram, Ambre et un autre garçon, Thomas, s'étaient eux aussi lancés à la recherche d'amis dans le Monde Incertain, et n'avaient toujours pas donné de nouvelles...

Gérald, rouge de colère, leur signifia que dorénavant, ils avaient intérêt à se conformer sans rechigner à tous les ordres qui leur seraient donnés.

– Encore heureux qu'il n'ait pas décidé de nous renvoyer à Ys, grommela Agathe.

– Il aurait peut-être mieux valu, lâcha Romaric. Nous revoilà des petits enfants bien sages, remis à leur place après avoir été grondés !

– Vous avez remarqué ? continua Coralie. Pas un remerciement, pas un mot de reconnaissance, pour nos efforts ! On a quand même apporté à Gérald les guerriers du Nord ! Et puis il y a le Peuple de la Mer et les Hommes des Sables qui vont arriver et...

– Patience ! l'interrompit Romaric. À la première occasion, nous reprendrons l'initiative !

– Je suis tout à fait d'accord, acquiesça Gontrand, aussi vexé que les autres. Mais est-ce qu'elle viendra, cette occasion ?

– Si elle ne vient pas, nous la provoquerons !

Tandis que Gérald grondait sévèrement les jeunes gens d'Ys, sur les Collines Grises, à Yénibohor, Urien de Troïl pleurait à chaudes larmes.

– Que se passe-t-il ? s'inquiéta le Commandeur.

– C'est Valentin, dit Qadehar d'une voix éteinte. Il est mort... Je suis désolé, je n'ai rien pu faire. Ma magie est toujours bloquée.

Un silence douloureux, entrecoupé des sanglots d'Urien, accueillit la nouvelle. D'un bout à l'autre de l'aile de la prison où étaient enfermés les Chevaliers, un chant monta de cent vingt gorges. Un chant grave, rendant hommage au camarade tombé à la bataille, un camarade que ses compagnons n'oublieraient jamais...

Urien s'était effondré sur le corps sans vie de celui qui avait été son frère d'armes. Respectant son chagrin, les Chevaliers présents dans la cellule s'assirent plus loin. Qadehar laissa aller sa tête en arrière contre la pierre humide du mur, et soupira. Quelle folie! Quel chaos... Plus que la défaite, c'était le sentiment terriblement humiliant de devoir subir les événements qui gonflait de colère le cœur du Sorcier. Depuis combien de temps la situation échappait-elle à son contrôle? Depuis l'attaque de Djaghataël, où il avait vu mourir l'un après l'autre ses amis Sorciers? Avant, peut-être. En réalité, depuis que Guillemot avait eu la révélation de ses pouvoirs magiques... Bien des choses qu'il considérait alors comme solides s'étaient effondrées, à la façon dont un objet que l'on croit tenir fermement dans sa main se transforme brusquement en fumée. L'invincible Confrérie venait de subir un revers cuisant, la Guilde était corrompue par l'Ombre, Valentin était mort sans qu'il puisse rien faire. Et Guillemot? À la pensée que quelqu'un puisse en ce moment même lui faire du mal, Qadehar, pour la première fois depuis bien longtemps, sentit affluer de la haine en lui. Au milieu des incertitudes qui bouleversaient le Sorcier, l'affection qu'il éprouvait pour le garçon était un repère intangible... Il le sauverait. Dût-il pour cela aller en enfer et défier Bohor en personne! Il s'en fit la promesse et retrouva un peu de sérénité.

25
Inquiétudes

La décision fut prise par Kushumaï d'installer les bases arrière de la contre-attaque à partir des Collines Grises, mieux situées et plus faciles à défendre que le Bois des Pendus.

La Chasseresse, au grand soulagement de Gérald qui se sentait mal à l'aise dans la peau d'un chef, avait d'autorité pris la direction des opérations. Dès qu'ils avaient su qui était cette femme, les guerriers des steppes lui avaient manifesté un respect immédiat, mêlé à une sorte de crainte. Quant à Romaric, Gontrand, Coralie et Agathe, malgré leur ressentiment à l'égard de ces adultes ingrats, ils avaient d'abord observé la jeune femme à la peau d'ours avec curiosité puis, après que Qadwan leur eut révélé son identité, avec admiration.

– Cette femme, avait confié le vieux Sorcier, est le chef de l'Ours, une société secrète à laquelle le Seigneur Sha appartient aussi. Une société liée au *Livre des Étoiles*, chargée de protéger les Trois Mondes des mauvais usages que l'on pourrait en faire...

Bien entendu, Agathe et Coralie avaient aussitôt fait remarquer à leurs amis, non sans une pointe de malice, que cette organisation si importante était dirigée par une femme...

Leur curiosité avait ensuite été attirée par le mysté-rieux homme au manteau rouge, ce Seigneur Sha qui s'appelait aussi Yorwan, et dont Guillemot leur avait juste dit quelques mots. Mais ils n'obtinrent de lui que des sourires distants.

En réalité, Yorwan était préoccupé par la prise de Yénibohor, et il exposa à Kushumaï son plan d'attaque.

– Attendons d'abord de voir quels renforts mes hommes vont nous ramener ! objecta la jeune femme.

– Tu as l'air soucieuse, toi aussi, remarqua Yorwan. Tu penses que nous ne serons pas assez nombreux pour prendre d'assaut cette maudite cité ?

– Tu le sais, Seigneur Sha, répondit Kushumaï en fronçant les sourcils : la Société de l'Ours a toujours rêvé de mettre un terme aux agissements et aux intrigues des gens de Yénibohor ! Et pourquoi crois-tu que nous ne l'avons pas fait ? Parce qu'ils sont puissants, très puissants ! Leur richesse leur a toujours permis de s'acheter les services de l'ignoble Thunku et de ses Orks. Et puis il y a les prêtres, et leur mystérieux Grand Maître qui semble redoutable...

– Mais nous-mêmes ne sommes pas sans atouts, dit Yorwan. Nous avons avec nous la sympathie de l'ensemble du Monde Incertain, exaspéré par la terreur que font régner les prêtres ! Notre armée sera nombreuse, il n'y a aucun doute à avoir.

– Peut-être, reconnut Kushumaï. Mais fera-t-elle le poids ? N'oublie pas que les deux cents Chevaliers d'Ys n'ont pas tenu bien longtemps face aux Orks de Thunku ! Et ils comptent pourtant parmi les meilleurs combattants des Trois Mondes !

– Ils ont foncé tête baissée dans un piège, sans avoir pris la peine de réfléchir à un plan d'attaque, soupira le Sorcier au manteau rouge. Cette fois, ce sera différent.

– Bon, à supposer que nous parvenions à tenir tête aux mercenaires présents dans la cité, comment combattrons-nous le pouvoir des prêtres ? Il n'y aura que toi, Gérald et moi, peut-être le vieux Qadwan s'il se rétablit d'ici là, pour nous y opposer ! Je ne mets pas en doute la qualité de ta magie, Seigneur Sha, ni celle de Gérald, mais même conjugués, nos pouvoirs ne pèseront pas lourd devant ceux des prêtres !

– C'est donc cela qui t'inquiète, comprit soudain Yorwan : la faiblesse de nos moyens magiques…

Le chef de l'Ours ne répondit pas, et se contenta d'acquiescer d'un signe de tête.

Ils installèrent le campement définitif dans un vallon abrité, à proximité d'une hauteur d'où ils pouvaient observer la plaine, la mer et, plus loin, la ville de Yénibohor. Les guerriers des steppes, semblables à de grands fauves, se dispersèrent alentour pour monter une garde discrète et efficace.

Les quatre jeunes gens laissèrent Kushumaï et les trois Sorciers discuter de leurs chances de succès, et s'assirent un peu à l'écart.

– Je me demande ce que peut faire ma sœur. Pourquoi est-ce qu'elle n'est pas déjà là ?

– Coralie… la route est longue jusqu'au Désert Vorace. essaya encore de la rassurer Romaric. Laisse-lui le temps de revenir !

– Romaric a raison, dit Gontrand. C'est plutôt Bertram qui devrait nous inquiéter ! Vous avez compris, vous, où il était parti ?

– Non, et moi aussi je suis inquiète, avoua Agathe. Bertram avait ce sourire idiot qui précède les catastrophes dont il a seul le secret…

– On n'aurait jamais dû le laisser partir, dit Coralie.

– Bah… faisons-lui confiance, proposa Romaric. Il nous a assez prouvé qu'il était capable du pire comme du meilleur !

– Espérons que cette fois-ci, ce sera le meilleur ! s'exclama Gontrand avec un soupir.

Un nuage de poussière dans la plaine annonça l'arrivée

d'une troupe importante. Tout le monde fut aussitôt sur le qui-vive.

– Ça vient de l'ouest, dit Gérald avec les mains en visière pour ne pas être aveuglé par le soleil.

– Non, du sud, rectifia Qadwan.

En réalité, deux troupes avançaient en direction des Collines Grises.

– Est-ce que ce sont les hommes de Yénibohor ? s'inquiéta Gérald.

– Yénibohor est à l'est, répondit Kushumaï. Non, je pense que ce sont les renforts ameutés par l'Ours. Le Seigneur Sha les a mentalement prévenus du changement de notre lieu de rendez-vous.

Effectivement, les troupes qui se rapprochaient, bien qu'hétéroclites, ne rassemblaient ni Orks ni prêtres, mais bien des hommes en armes, équipés d'épées et de lances, d'arcs, de haches, de faux et de bâtons…

– Combien sont-ils ? s'étonna Qadwan.

– Difficile à dire… Peut-être mille, lui répondit Yorwan.

Kushumaï s'avança à la rencontre des premiers groupes d'hommes armés. Ceux-ci la saluèrent avec respect.

– Mais…, s'exclama Gontrand en remarquant un individu parmi la foule. Je le connais, le grand blond, au milieu des hommes roux ! C'est le luthier qui m'a vendu une cithare, un jour, dans un village de l'Ouest !

Il s'approcha de l'homme. Celui-ci ne le reconnut pas tout de suite. Mais, lorsque Gontrand se présenta, il lui serra la main avec chaleur.

– Alors comme ça, vous êtes membre de l'Ours ? lui demanda Gontrand.

– N'oublie pas ce que j'ai dit un jour, dans mon magasin, à un garçon déguisé en Petit Homme de Virdu : chacun a le droit d'avoir ses secrets !

Ils rirent au souvenir de leur rencontre.

D'autres surprises de ce genre attendaient les jeunes gens d'Ys. Entre les vaillants paysans de l'Ouest, et les hommes en armure qui portaient au sommet de leur casque un crâne d'animal sauvage, et dont on disait qu'il s'agissait de la garde personnelle de Kushumaï, une centaine de brigands, aux visages souvent amochés et rudes, distribuaient de franches poignées de main à leurs compagnons de fortune. Gontrand reconnut le jeune brigand, l'Archer, qui avait affronté Tofann, lors de l'embuscade que ses compères et lui leur avaient tendue, sur la route de Yâdigâr. Le géant avait épargné son valeureux adversaire en se contentant de le blesser. Les retrouvailles entre Tofann et l'Archer furent d'ailleurs amicales, le premier se souvenant du courage du brigand, et le second de la générosité du guerrier qui lui avait laissé la vie sauve.

Au côté de l'Archer se tenait un garçon qui les regardait avec des yeux ronds, comme si le ciel venait de lui tomber sur la tête...

– Toti! lança joyeusement Coralie qui avait reconnu le jeune page, prisonnier en même temps qu'eux dans les geôles de Thunku, à Yâdigâr.

Ils se précipitèrent vers leur ami, totalement incrédule, et l'entraînèrent à l'écart. Tandis que s'achevait l'arrivée des hommes de l'Ours dans les collines, ils se racontèrent leurs aventures respectives. Ils apprirent ainsi que Toti était le frère de l'Archer, et que tous deux, l'un parmi les brigands et l'autre dans le palais de Thunku, servaient d'informateurs à la Société de l'Ours. Quant à Toti, qui trembla et applaudit au récit des exploits de Guillemot dans le palais du Commandant Thunku, dont l'effondrement était resté un mystère, il n'en finissait pas de se réjouir de retrouver ainsi ses amis. Seule l'absence de l'Apprenti Sorcier et d'Ambre faisait une ombre au tableau.

– Oh ! bon sang, si vous saviez combien je suis content ! J'avais vraiment peur de me retrouver tout seul au milieu des brutes et des soldats, comme la dernière fois, dans les prisons du palais !

– Rassure-toi, répondit amicalement Romaric, nous sommes là et nous sommes ensemble. Et je te promets qu'on ne s'ennuiera pas plus ces jours-ci qu'on ne s'est ennuyés à Yâdigâr !

À l'approche de la nuit, un millier d'hommes bien décidés à vaincre les armées de Yénibohor installèrent leur campement dans les Collines Grises. Il ne manquait plus que Bertram, Ambre et Thomas...

26
CONSEIL DE GUERRE

– Coralie, hé, Coralie…

Qadwan secoua doucement la jeune fille qui dormait à côté de ses amis, recroquevillée dans son duvet. Le petit groupe s'était sagement retiré dans un coin du vallon quand les feux de bivouac s'étaient allumés et que les hommes s'étaient mis à rire, à chanter et à discuter…

– Que se passe-t-il ? grommela-t-elle en soulevant tant bien que mal ses paupières.

– Quelqu'un te cherche, une personne qui veut absolument te voir.

Coralie, les cheveux en désordre et les yeux papillonnant, prit le temps de se réveiller complètement. Le jour se levait à peine sur un ciel rempli de nuages. Elle s'habilla prestement, se leva et, après un regard d'envie sur ses compagnons encore endormis, elle suivit le vieux Sorcier.

Qadwan la conduisit jusqu'au sommet de la colline où Kushumaï avait installé son état-major. Aux côtés de la jeune femme se tenaient Gérald, dans le manteau sombre de la Guilde, Yorwan drapé dans celui du Seigneur Sha, Tofann, tout de cuir et de métal, le Chasseur de l'Irtych Violet, en armure légère, le Luthier habillé de la toile épaisse des paysans de l'Ouest et l'Archer, vêtu de pièces hétéroclites dérobées aux victimes de ses embuscades. Tous les sept faisaient face à une petite silhouette qui ne semblait pas intimidée le moins du monde, et qui se jeta dans les bras de Coralie quand elle l'aperçut.

– Coralie ! Coralie !

– Matsi ? Mais… mais…, bégaya-t-elle en serrant dans ses bras la fillette aux cheveux et aux yeux blancs.

– Les gens de la Quatrième Tribu nous ont transmis ton message, expliqua Matsi tout en caressant avec ravissement le visage de la seule véritable amie qu'elle ait jamais eue.

– Tu veux dire que ta tribu est venue pour nous aider ? Oh, c'est adorable !

– Pas ma tribu, non, rectifia-t-elle. Mon père a réussi à convoquer l'ensemble des Trente Tribus pour une réunion extraordinaire. Tu sais, nous n'aimons pas du tout les prêtres de Yénibohor. Pendant longtemps, ils ont enlevé les enfants du Peuple de la Mer quand on abordait leurs côtes…

– Je sais, ton père me l'a raconté. Et alors ?

– Alors, annonça tranquillement Matsi, mon peuple a décidé d'envoyer nos cent hommes les plus courageux pour vous aider contre Yénibohor. Ils sont en bas, dans la crique, sur les radeaux avec mon père… Moi, j'ai insisté pour l'accompagner. J'avais trop envie de te revoir !

– L'aide de ton peuple risque d'être capitale, petite fille, intervint Kushumaï en passant ses doigts dans les curieux cheveux blancs. J'irai personnellement remercier et parler aux Hommes de la Mer ! En attendant, va leur dire d'attendre, et surtout de ne pas bouger : nous n'avons pas encore terminé d'élaborer notre plan d'attaque.

Matsi acquiesça. Elle agita la main et lança à Coralie, en se dandinant sur ses pieds nus :

– À plus tard, Coralie ! À plus tard !

– Attends-moi, Matsi ! se décida brusquement la jeune fille. Je viens avec toi !

– Sois prudente ! ne put s'empêcher de lui crier Qadwan en la voyant disparaître derrière les collines.

Kushumaï se tourna vers les chefs de son armée. Ses yeux verts brillaient.

– Nous n'avons pas résolu le problème des pouvoirs magiques des prêtres. Mais je sais maintenant comment nous allons entrer dans la cité.

– Est-ce que tu les vois ? chuchota Gontrand à Romaric qui avait rampé dans l'herbe au plus près de l'endroit où Kushumaï exposait son plan d'attaque à son état-major.

– Non, répondit-il sur le même ton. Mais je les entends ! Chut, maintenant, taisez-vous !

À leur réveil, Agathe, Gontrand, Romaric et Toti avaient appris l'arrivée des Hommes de la Mer, que Coralie s'était empressée de rejoindre. Ils avaient essayé de se mêler le plus discrètement possible à la réunion sur la colline, mais ils avaient été fermement éconduits. Si Kushumaï avait eu la délicatesse de les remercier pour leur enthousiasme et leur bonne volonté, Yorwan leur avait conseillé d'« aller jouer plus loin »

C'est essentiellement cela qui avait provoqué la colère du petit groupe. Ces adultes étaient décidément incorrigibles ! Eux qui avaient l'expérience du Monde Incertain, qui s'étaient toujours sortis des pires situations, eux qui étaient à l'origine du ralliement des farouches guerriers des steppes et du dévoué Peuple de la Mer, voilà qu'on leur demandait poliment de « laisser faire les grandes personnes et d'aller jouer plus loin ». Quelle injustice ! Quelle ingratitude ! Ils allaient voir ce qu'ils allaient voir...

Couché dans l'herbe, se faisant le plus petit possible, Romaric tendit donc l'oreille dans l'espoir de surprendre ce qui se tramait. Kushumaï désignait avec une baguette sur un dessin tracé au sol un point qu'il ne pouvait bien sûr pas voir.

– Une fois les portes ouvertes, disait-elle, il faudra atteindre à n'importe quel prix cette tour. C'est là que vit le Grand Maître de Yénibohor, c'est là que Guillemot est sans nul doute retenu prisonnier.

– Et, selon vous, où sont enfermés les Chevaliers qui ont survécu à la première attaque ? s'inquiéta Gérald.

– Certainement ici, répondit Kushumaï en montrant un autre endroit sur le dessin, dans les cachots souterrains de la cité. Nous avons tout intérêt à profiter de la bataille générale pour essayer de les libérer. Les Chevaliers survivants constitueraient une force supplémentaire non négligeable.

Et les prêtres ? s'enquit Yorwan. Comment allons-nous faire ?

– Je ne sais toujours pas, reconnut Kushumaï. Mes informateurs ont repéré environ huit cents Orks et cent quatre-vingts prêtres. Nous sommes quant à nous plus d'un millier, mais nous savons qu'il sera difficile de tenir tête aux monstres ! Et je crains que trois Sorciers et une Sorcière ne suffisent pas à vaincre le pouvoir maléfique des prêtres...

Les propos du chef de l'Ours les accablèrent. Tofann réagit le premier :

– Nous nous battrons vaillamment ! Combats et sacrifices participent de la marche normale du Monde Incertain !

– Je partage ta vision des choses, ami des steppes, acquiesça le Chasseur. La mort n'est qu'une étape dans la danse éternelle des éléments !

– Oh, c'est bien beau tout ça ! ricana l'Archer dont le visage était barré par une profonde cicatrice. Moi, je veux bien me battre, mais je n'ai pas l'intention de me suicider! Alors il vaudrait mieux trouver une solution pour éliminer les prêtres-sorciers.

– L'Archer a raison, dit le Luthier. Les hommes de l'Ouest sont courageux, et pour pouvoir vivre en liberté sur leurs terres, sans devoir payer les écrasants impôts que leur réclame Yénibohor, ils sont prêts à se battre. Mais il serait injuste de réclamer d'eux un sacrifice inutile...

– Le problème, intervint Gérald, c'est que nous n'avons plus vraiment le choix. Chacun ici semble avoir une bonne raison de se battre. Mais cela reste une raison personnelle. Or, ce qui se joue ces jours-ci à Yénibohor va au-delà de nos propres intérêts. Si celui qui se cache derrière ces murs, Ombre, Grand Prêtre ou n'importe qui d'autre, si cet individu parvient à conjuguer les pouvoirs du grimoire qu'il a dérobé et du garçon qu'il a enlevé, les conséquences seront terribles pour tout le monde!

Kushumaï tenta d'apaiser les hommes que les propos du Sorcier avaient alertés.

– Nous avons la journée pour trouver une solution, annonça-t-elle. Dans tous les cas, nous prévoyons d'attaquer demain, à l'aube. Gérald a raison : nous n'avons pas le choix. Et surtout pas celui d'attendre...

Romaric rapporta aux autres, en langue ska pour que Toti comprenne, tout ce qu'il avait capté de la conversation.

– Je ne savais pas que la situation était si désespérée! gémit Agathe. Qu'allons-nous faire?

– Je n'ai pas tout entendu, répondit-il. Mais voilà ce que je vous propose : nous ferons semblant, demain, de nous résigner à rester à l'abri des Collines Grises pendant que les autres attaqueront Yénibohor. Nous filerons ensuite discrètement et essaierons de pénétrer, tout aussi discrètement, dans la ville. Là, il faudra repérer la tour où est enfermé Guillemot, nous faire les plus petits possible et nous y rendre. Après, je ne sais pas...

– Ce n'est déjà pas si mal, ironisa Gontrand. Il sera toujours temps d'aviser sur place si on y arrive vivants !

– Ça peut marcher, si on se fait suffisamment petits, risqua Toti.

– Vous avez une autre idée ? demanda Romaric, agacé. Non ? Bon, alors...

– Et Coralie ? demanda Agathe.

– Elle sera revenue d'ici là.

– Et Thomas et Ambre ? demanda encore Gontrand.

– Je fais confiance à Ambre pour arriver à temps, dit calmement Romaric. Jamais elle n'abandonnera Guillemot, vous le savez aussi bien que moi.

27

IL NE FAUT JAMAIS DÉSESPÉRER

Le lendemain, comme ils l'avaient prévu, Romaric, Gontrand, Coralie, Agathe et Toti furent gentiment priés d'assister depuis les Collines Grises à la bataille qui se préparait...

– Mais on ne verra rien ! protesta avec naturel Coralie.

Après avoir passé la journée avec Wal et Matsi, elle avait la veille au soir rejoint ses amis, et ceux-ci l'avaient immédiatement mise dans la confidence. Qadwan s'avança vers eux : les autres adultes semblaient l'avoir tacitement, et une bonne fois pour toutes, désigné comme médiateur auprès de la petite bande.

– Allons, les enfants..., dit-il. La guerre est une affaire d'adultes ! Je sais que vous êtes inquiets pour Guillemot. Mais vous avez déjà fait beaucoup pour lui ! Maintenant, vous devez être raisonnables.

Ils baissèrent la tête, l'air renfrogné, mais ne firent pas d'objection. Le vieux Sorcier prit cela pour de la résignation, et tourna les talons, satisfait, sans voir le clin d'œil qu'ils échangeaient derrière son dos...

Kushumaï, flanquée de Yorwan et de Gérald, assistait aux préparatifs de son armée qu'elle avait surnommée « armée des Collines ». Elle avait mis au point un plan d'attaque audacieux qui reposait entièrement, pour la première phase, sur le Peuple de la Mer avec lequel elle avait longuement discuté la veille. Elle observa les guerriers des steppes tromper leur attente en se battant entre eux, pour s'amuser. Elle admira leur force, leur souplesse, leur art du combat érigé en mode de vie. Elle aurait bien échangé plusieurs centaines d'hommes roux contre seulement quelques dizaines de ces guerriers ! Non pas qu'elle doutait du courage des gens de l'Ouest, mais ils restaient des paysans, plus habiles dans le maniement de la charrue que dans celui de l'épée. Même si les efforts du Luthier, dépêché par l'Ours dans cette région particulièrement hostile à Yénibohor, pour apprendre à ces paysans à se battre, avaient rencontré un succès inespéré, cela ne suffirait pas pour faire face aux redoutables adversaires qui les attendaient... Kushumaï misait davantage sur les brigands ; s'ils avaient survécu jusquelà à toutes les échauffourées contre des mercenaires Orks, ils survivraient bien encore à cette nouvelle confrontation ! Quant aux Chasseurs de l'Irtych Violet, ils étaient braves et expérimentés, et avaient affronté dans la forêt des créatures aussi féroces que les Orks. Mais ils n'étaient qu'une poignée ! Kushumaï soupira. Si au moins elle disposait d'une escouade de magiciens pour contrer les prêtres. Ceux du Monde Incertain n'étaient que des charlatans ou des lâches, qui tremblaient de peur à la seule évocation du Grand Maître de Yénibohor...

– À quoi penses-tu, Kushumaï ?

– Je ne pense à rien, Seigneur Sha. Je prie ! C'est l'unique chose qui reste à faire...

Au même instant, un murmure parcourut les rangs des hommes de l'Ouest qui soudain se mirent à courir de tous les côtés en poussant des cris de peur.

– Que se passe-t-il ? s'inquiéta Gérald.

Les Chasseurs se regroupèrent instinctivement autour de Kushumaï pour la protéger.

– Des Mirgi, des Mirgi! hurla un homme pour toute réponse.

Les Mirgi étaient, dans les légendes du Monde Incertain, des esprits mauvais, représentés sous l'apparence de gnomes grimaçants...

– Holà, du calme! C'est moi! C'est nous! cria quelqu'un pour se faire entendre au milieu du vacarme.

– Bertram? lança Gérald, incrédule.

– Oui, c'est Bertram! Dites à ces hommes de ranger leurs haches et de baisser leurs lances. Ils vont finir par blesser quelqu'un! C'est insensé!

Gérald mit un moment à convaincre les gens de l'Ouest que les nouveaux arrivants étaient des alliés et non des ennemis. Il eut aussi du mal à leur faire accepter que les créatures qui accompagnaient le jeune Sorcier n'étaient pas des Mirgi...

– Bertram!

Attirés par les cris, Romaric, Agathe, Gontrand et Coralie, suivis par Toti, avaient accouru, et manifestèrent à leur ami la joie de le revoir avec de vigoureuses poignées de main et quelques embrassades. Lorsqu'ils aperçurent les créatures qui accompagnaient Bertram, ils restèrent interdits...

– Amis de Dashtikazar! Moi très heureux de vous revoir!

– Kor Hosik!

Il s'agissait bien de Kor Hosik, le jeune Korrigan qui avait servi de traducteur au roi Kor Mehtar, lorsque la bande d'amis s'était retrouvée prisonnière dans son palais de Bouléagant.

Les Korrigans, petits êtres d'environ quatre-vingts centimètres, rabougris et ridés, sombres et poilus, vivaient sur les landes du Pays d'Ys, où ils coexistaient en bonne entente – on pouvait le dire ainsi... – avec les humains.

Derrière Kor Hosik se tenaient une dizaine d'autres Korrigans, qui semblaient davantage tassés, davantage voûtés. Cheveux et poils étaient grisonnants ou carrément blancs. Le large chapeau, la veste et le traditionnel pantalon de velours bouffant n'étaient pas noirs comme d'habitude, mais rouges. Quant aux sabots de fer, ils étaient anormalement polis et usés.

– Quand Ambre a parlé des amitiés que chacun possédait et qu'il fallait regrouper, je me suis senti bête et inutile, avoua Bertram à ses amis et aux chefs de l'armée des Collines qui s'étaient approchés et qui observaient avec un regard étonné les envoyés du Peuple de la Lande. C'est alors que j'ai eu une idée !

– Tu es retourné à Ys et tu es allé voir les Korrigans ? s'exclama Coralie interloquée. C'est dingue !

– C'est surtout très long ! J'ai couru tout le temps ou presque jusqu'à la Côte Hurlante, et j'ai eu de la chance ensuite de tomber sur un pêcheur qui a bien voulu me conduire à l'Île du Milieu !

– Et au retour, tu as couru aussi ?

– Bien sûr ! Tu sais, les Korrigans sont très vigoureux. Même lorsqu'ils sont très vieux... C'est moi qui ai eu du mal à les suivre.

– Continue, Bertram, intervint Gérald. Nous sommes tous curieux d'entendre ton histoire jusqu'au bout. Et toi, Coralie, cesse de l'interrompre, avec tes questions !

– Donc, poursuivit Bertram, connaissant le pouvoir des prêtres de Yénibohor, je me suis dit que des Sorciers pourraient nous être d'un grand secours. Malheureusement, la Guilde étant sous la surveillance d'un espion de l'Ombre, il ne fallait pas y compter. Où trouver des magiciens alors ? Mais chez les Korrigans, bien sûr ! Je suis donc reparti à Ys et je me suis aussitôt rendu sur la lande. J'ai finalement retrouvé le fameux dolmen par lequel on nous avait descendus jusque dans la caverne de Bouléagant. J'ai attendu qu'un Korrigan s'en approche et j'ai demandé à être reçu par Kor Mehtar. Vous connaissez la curiosité des Korrigans : il m'a accordé une audience immédiate ! Je lui ai expliqué la situation, en lui faisant bien comprendre ce que cela impliquerait pour son peuple si l'Ombre devenait trop puissante. Il a été convaincu, et il m'a confié les plus savants de ses magiciens, ainsi qu'un traducteur pour faciliter nos rapports avec eux ! Voilà toute l'histoire !

– Tu dis qu'il a été convaincu ? répéta Gérald, d'un air dubitatif.

– Pourquoi il a le droit de l'interrompre, lui ? grommela Coralie à voix basse.

– Tais-toi ! gronda Romaric. Laisse-nous écouter !

– Oui, répondit Bertram à Gérald, en rougissant malgré lui. J'ai su trouver des arguments… des arguments qui…

– Votre ami a fait promesse à mon roi, intervint Kor Hosik réjoui. Votre ami promettre quelque chose en échange de notre aide !

– Cela ne regarde que Kor Mehtar et moi ! protesta Bertram en foudroyant le Korrigan du regard. Enfin quoi, l'essentiel, c'est bien que je sois revenu à temps, avec des amis pour nous aider, non ?

– Tu as raison, jeune Bertram, confirma Kushumaï en le gratifiant d'un grand sourire. Et cette aide que tu nous apportes nous sauvera peut-être tous ! J'ai entendu parler de la magie des Oghams, on raconte qu'elle est puissante. Surtout, elle est inconnue dans ce monde… Les prêtres n'y seront pas préparés !

Elle se tourna vers Yorwan et Gérald.

– Et voilà ! Nous avons enfin notre escouade de magiciens. Vous voyez qu'il ne faut jamais désespérer !

Au grand soulagement des hommes de l'Ouest, qui avaient du mal à ne pas voir des Mirgi dans ces créatures étranges, Kushumaï invita les Korrigans à la suivre jusqu'à la colline où elle organisa une dernière réunion de l'état-major.

Bertram resta avec ses amis, qui lui firent à leur tour le récit de ce qui s'était passé les jours précédents. Ils assouvirent sa curiosité au sujet de Kushumaï et du Seigneur Sha. Ils le mirent au courant de l'absence d'Ambre et de Thomas, ainsi que des derniers rebondissements, sans toutefois lui avouer leur projet de fronde.

– C'est bien fâcheux que vous soyez consignés dans ces collines, dit Bertram en marquant, par un froncement de sourcils et un ton assuré, son appartenance au monde des adultes. Ma foi, je penserai bien à vous lorsque je serai dans le tourbillon de l'action, entre deux affrontements avec les Orks et deux passes magiques contre les prêtres ! D'ailleurs, conclut-il en apercevant Gérald venir dans sa direction, on vient me chercher : soyez sages ! Je tâcherai quant à moi de vous faire honneur !

– Bertram ?

– J'arrive, Gérald. Adieu, mes amis, adieu...

– Bertram, annonça Gérald d'un ton ennuyé. Il faut quelqu'un pour surveiller... pour protéger tes amis. Qadwan va mieux. Il a davantage d'expérience, il nous sera plus utile que toi devant Yénibohor.

– Quoi ? rugit Bertram. Mais Qadwan est gâteux, il va vous encombrer ! Gérald, tu ne peux pas me faire ça... S'il te plaît !

– Ça suffit, ma décision est prise, dit le Sorcier d'un ton qui n'admettait plus de réplique. Tâche seulement de veiller sur ces jeunes gens un peu mieux qu'à Ys !

Bertram le regarda s'éloigner, abasourdi et effondré. Gérald alla rejoindre Kushumaï, Qadwan, Yorwan et les magiciens Korrigans. L'armée des Collines se préparait à prendre la route.

– Allons, Bertram, le consola Gontrand, goguenard, ce n'est pas grave ! Quand tu seras grand, tout ça changera...

– Très drôle ! Quand je pense, gémit-il, à tout ce que j'ai fait pour eux ! Ils n'ont pas le droit de me laisser à l'écart. J'ai mérité de participer à la bataille !

– C'est ce que nous pensons tous, approuva Romaric en posant une main sur l'épaule du jeune Sorcier. D'ailleurs, nous avons un plan

– Un plan ? Ne me dis pas que vous comptez à nouveau désobéir à Gérald et que… Oh non !

– Eh si, Bertram, eh si !

28
L'EAU ET L'AIR

L'approche de l'armée des Collines provoqua une effervescence dans la cité de Yénibohor, effervescence visible jusque sur les remparts où des Orks lourdement armés couraient prendre position. Kushumaï donna des ordres ; ses hommes arrêtèrent leur progression et restèrent hors de portée des tirs d'arc éventuels, en face de la porte d'entrée qui était solidement fermée et semblait capable de résister à tous les assauts.

– Il ne nous reste qu'à attendre, annonça Kushumaï à Gérald, Yorwan et Qadwan, ainsi qu'à Tofann, au Chasseur, au Luthier et à l'Archer venus aux nouvelles. Et surtout, à espérer que le Peuple de la Mer réussisse !

L'une des particularités de la ville résidait dans le cours d'eau qui la traversait de part en part pour se jeter dans la Mer des Brûlures. Canalisé sur tout son trajet dans la cité, il servait à de multiples usages quotidiens et y apportait la seule touche de fraîcheur. Le Fleuve Mouillé entrait donc et ressortait de Yénibohor en se glissant sous les remparts, par une voûte munie de grilles. Les eaux du fleuve et celles de la mer abritaient en effet des poissons carnassiers énormes, qu'il aurait été désagréable de rencontrer au cours de ses ablutions !

Ousnak, un chasseur d'exception qui avait été désigné par l'ensemble des Tribus pour prendre la tête de l'étrange expédition, arrêta un instant sa nage sous-marine et se retourna. Ses longs cheveux blancs flottèrent un instant tout autour de sa tête. La centaine d'hommes que le Peuple de la Mer avait dépêchés à la rescousse de l'armée des Collines le suivaient en groupe compact, avec une parfaite maîtrise de la nage sous l'eau. Ils venaient de prendre une dernière provision d'air et savaient qu'ils pouvaient tenir de longues minutes en économisant leurs gestes. Rassuré, Ousnak reprit sa progression.

Il aperçut bientôt la grille qui empêchait les monstres de la mer de remonter le fleuve jusque dans la cité. Grâce à la membrane qui protégeait ses yeux, à la façon d'un masque de plongée, il distinguait les moindres détails de ce qui l'entourait. Ainsi il repéra le barreau de métal rongé par la rouille, tout en bas, au contact du sol couvert d'algues, qui allait leur permettre d'entrer. Ousnak fit un geste : trois hommes vinrent l'aider à tordre la barre rouillée. Ils se glissèrent ensuite l'un après l'autre par l'ouverture ainsi ménagée. Remontant prudemment à la surface, ils emplirent de nouveau leurs poumons et replongèrent au fond de l'eau. En sortant la tête pour respirer, ils avaient pu se rendre compte que l'attention des Orks et des prêtres était entièrement tournée vers la plaine où se tenaient les assaillants. Kushumaï avait raison ! Le commando qui réussirait à pénétrer dans la cité était assuré de prendre les défenseurs au dépourvu.

Ousnak vérifia que le couteau, qui lui servait en temps ordinaire à fouiller dans la chair des poissons qu'il pêchait, était toujours dans la ceinture de son pagne. Il se donna du courage en le caressant, et fit signe d'avancer. Ils parvinrent ainsi au large pont qui prolongeait la porte principale et s'abritèrent dessous. La porte, à quelques dizaines de mètres, était seulement gardée par deux Orks. Les autres s'étaient positionnés sur les remparts... Cette confiance n'était guère étonnante quand on considérait l'énorme poutre qui bloquait les deux battants métalliques.

– Nous allons nous diviser en trois groupes, chuchota Ousnak. Un qui neutralisera les monstres, le deuxième qui ouvrira la porte et le troisième qui couvrira notre retraite...

Les Hommes de la Mer prirent silencieusement pied sur la berge. Ousnak extirpa de sa large ceinture un objet que Kushumaï lui avait confié lorsqu'elle était venue les voir, la veille, sur leurs radeaux, pour leur faire part de son plan d'attaque. Il défit les bandages étanches qui le protégeaient et pointa le tube de métal vers le ciel. Comme le lui avait expliqué la femme aux yeux verts, il pressa un bouton. Aussitôt, une boule de feu jaillit vers le ciel et explosa sans bruit dans une intense et brève lumière bleue.

– Le signal ! s'exclama Kushumaï de l'autre côté des murailles, qui guettait le ciel avec inquiétude depuis un moment. Ils ont réussi ! Ils vont essayer d'ouvrir la porte. Tenez-vous prêts !

À l'intérieur de la cité, le premier groupe d'Hommes de la Mer, immédiatement suivi du deuxième, s'élança en direction des Orks, tandis que le troisième se déploya entre la porte et le pont. Les Orks furent tellement surpris de voir des hommes presque nus surgir de nulle part en brandissant de simples couteaux qu'ils ne se défendirent pas aussi bien que d'habitude. Le premier succomba rapidement. Mais l'autre se ressaisit, envoya deux hommes à terre et hurla pour appeler à la rescousse ses congénères. Trop tard : la poutre avait été enlevée et les panneaux s'ouvraient en grand.

– À l'attaque ! exulta Kushumaï. À l'attaque !

Paysans de l'Ouest, brigands, Chasseurs et guerriers du Nord se ruèrent tous en avant.

Pendant ce temps, les hommes d'Ousnak qui étaient

enfin venus à bout du deuxième Ork, se replièrent vers la rivière en emportant les corps des deux malheureux que le monstre avait tués.

– On ne s'en sort pas trop mal, commenta Wal, le père de Matsi, en se tenant le bras qui était marqué d'une estafilade sanguinolente.

– Oui, acquiesça Ousnak. Mais nous n'avons plus rien à faire ici. Le Peuple de la Mer a tenu ses engagements : aux autres d'accomplir leur part. Nous ne sommes pas des guerriers...

Les hommes aux cheveux blancs plongèrent en silence dans le fleuve et reprirent le chemin de la mer.

Les premiers à atteindre la cité furent les guerriers des steppes, suivis des Chasseurs de l'Irtych Violet menés par Kushumaï en personne. Ils se heurtèrent à une dizaine d'Orks qui tentaient de refermer la porte.

– Enfin un peu d'action ! rugit Tofann en abattant son épée gigantesque sur le crâne d'un des monstres, stupéfait de trouver en face de lui un homme de sa taille.

Les guerriers exterminèrent les Orks présents à la porte, avant même l'arrivée des Chasseurs.

– Vous auriez pu nous en laisser ! plaisanta l'un d'eux qui tenait une lance dans une main et une courte hache dans l'autre.

– Rassurez-vous, répondit Tofann en désignant du menton les grappes d'Orks qui dégringolaient des remparts : il y en aura pour tout le monde...

– Il ne faudrait pas que les autres traînent, s'inquiéta Kushumaï. Que font-ils ?

– Je crois qu'il y a un problème, dit un Chasseur.

En effet, à cent mètres des murailles, brigands et hommes de l'Ouest qui constituaient le gros des troupes gisaient sur le sol, criant de surprise et de colère ! Ils s'étaient heurtés à quelque chose de mouvant et de laiteux qui les avait renversés comme des quilles, une sorte de vague magique gigantesque qui avait jeté par terre les audacieux tentant d'atteindre la cité...

Kushumaï leva les yeux vers le haut des remparts : des prêtres avaient tissé un puissant sortilège qui empêchait leurs amis de leur porter secours !

– Courage ! lança-t-elle à la cinquantaine d'hommes qui avaient resserré les rangs. Yorwan et Gérald sont dehors, avec les magiciens Korrigans. Ils vont sûrement trouver une solution !

– Rapidement, j'espère, dit calmement Tofann. Parce que les Orks qui arrivent ont l'air très, très nombreux !

Yorwan et Gérald ne perdirent pas de temps à réfléchir lorsqu'ils se rendirent compte que Kushumaï était prise au piège dans la cité avec seulement une poignée d'hommes. Si valeureux qu'ils étaient, ils ne tiendraient pas plus que les Chevaliers face aux hordes d'Orks qu'abritait Yénibohor ! Les deux Sorciers jetèrent un regard furieux aux prêtres en blanc qui, du haut de la muraille, formaient une chaîne relayant leur magie. Puis ils s'éloignèrent en compagnie de Qadwan et des Korrigans.

– Nous allons unir nos pouvoirs, Gérald, Qadwan et moi, expliqua Yorwan à Kor Hosik. Votre magie est trop différente pour que l'on puisse s'allier avec vous : que les Korrigans fassent au mieux pour nous aider à briser la vague blanche !

Kor Hosik rapporta ses propos aux vieux sages. Ceux-ci hochèrent la tête. Tandis que les trois Sorciers se prenaient la main et adoptaient les *Stadha* Incertaines du contre-sortilège qu'ils élaboraient, les Korrigans tracèrent un cercle sur le sol et se mirent à danser au milieu.

– *Par le pouvoir de l'Auroch et de la Main, du Cygne et de l'Année, Uruz qui court sur la neige dure, Naudhiz qui va nu dans le froid, Elhaz qui crépite quand il brûle, Yéra*

la généreuse, endormez les esprits mauvais et défaites
ce que la magie a fait ! UNEY !
   – Gar ! Acéré comme le serpent,
violent faiseur de veuves,
par le pouvoir de la pièce d'argent,
et du sang dont tu t'abreuves,
bouscule l'obstacle puissant,
qui bafoue tes enfants !

Le sortilège appelé par la magie des étoiles s'élança contre celui des prêtres de Yénibohor. La brume dorée s'attaqua à la vague translucide et tenta de la contenir, à la façon d'une digue de fortune dressée contre la tempête. Mais, après avoir lutté, elle céda et explosa dans une gerbe d'étincelles jaunes.

Immédiatement derrière, surgie de l'invocation des Oghams, la magie de la terre et de la lune frappa à son tour la vague dans un intense éclair rouge. L'air se troubla autour du sortilège laiteux qui se figea avant de refluer légèrement. Mais, bien qu'ébranlée, la protection des prêtres tint bon.

– Magie à nous plus forte que magie des hommes en blanc sur les grands murs, se désola Kor Hosik. Mais eux trop nombreux ! Un peu moins d'hommes en blanc et Oghams pulvériser le sortilège !

– Tu as raison, Kor Hosik, dit Gérald d'un air sombre. Mais que pouvons-nous faire ?

Le claquement sec d'une détonation retentit. Un prêtre vacilla sur les remparts, puis tomba en avant et s'écrasa en bas de la muraille...

29
LE FEU ET LA TERRE

– Qu'est-ce que c'était ? demanda Gérald qui avait assisté à la scène sans comprendre.

Une autre détonation se fit entendre et un deuxième prêtre dégringola des murailles en se tenant le ventre.

– Là ! s'exclama Yorwan en montrant du doigt l'amas de rochers depuis lequel Urien de Troïl avait harangué la Confrérie quelques jours auparavant.

Le canon de leurs armes appuyé sur les pierres, ajustant posément leur tir, des Hommes des Sables avaient pris les prêtres pour cible…

Les trois Sorciers coururent les rejoindre. Personne n'avait encore vu d'arme à feu dans le Monde Incertain et les longs fusils à un coup que les hommes, drapés dans d'épais tissus bleu nuit, blanc crème et rouge sang, arboraient, provoquaient chez les brigands et les paysans de l'Ouest un étonnement considérable.

– Gérald ! s'écria Ambre avec un sourire, en allant à sa rencontre.

– Ambre ? s'exclama Gérald en l'apercevant. Tu as donc réussi !

– Oui, confirma la jeune fille, surexcitée. En arrivant au bord du Désert Vorace, on a allumé un grand feu avec Thomas, pour attirer l'attention des Hommes des Sables. Ils sont venus, mais ça a été long ! Après, il a fallu retrouver l'ami de Guillemot, Kyle, et lui raconter notre histoire. Puis Kyle a dû réunir les trois clans de son peuple et les convaincre de nous apporter leur aide. Ensuite il a fallu rentrer ! Tout cela a pris du temps ! Trop de temps ! C'est pourquoi on arrive seulement maintenant. Et puis...

– Ton ami, Thomas, va bien ? s'enquit soudain Qadwan. Il est avec toi ?

– Oui, hum... il... il est là ! Il va bien.

– Thomas ? appela Qadwan, que l'hésitation d'Ambre avait rendu inquiet. Où te caches-tu ?

– Je ne me cache pas, grommela Thomas.

Au même instant, il quitta l'abri des rochers, suivi par Romaric, Gontrand, Bertram, Coralie, Agathe, Toti et un garçon de leur âge, au regard bleu, aux cheveux noirs et à la peau hâlée par le soleil.

– Non ! s'exclama Gérald en apercevant la petite bande au complet. Bertram, est-ce que je ne t'avais pas demandé de... ?

– J'ai essayé ! se défendit-il. Mais ils sont plus têtus que des mules !

– Il nous fallait des guides pour nous conduire jusqu'à vous, intervint le garçon aux cheveux noirs.

Il se présenta :

– Je m'appelle Kyle, et je suis le fils des chefs des trois Tribus du Désert !

– Kyle, bienvenue à toi et aux valeureux Hommes des Sables, répondit Yorwan à la place de Gérald. On peut dire que ces armes avec lesquelles les Hommes des Sables tirent, quoiqu'inhabituelles, sont providentielles !

– Mon peuple les possède depuis toujours, enfin, depuis qu'il s'est retrouvé bloqué dans le Désert Vorace, commença-t-il à expliquer. Elles viennent sûrement d'un autre monde, où nous avons dû les acquérir lorsque nous vivions en nomades en dehors du Monde Incertain. Les fils héritent de l'arme de leur père depuis des générations.

Nous en prenons grand soin, car ces fusils nous protègent des brigands et des hôtes de Yâdigâr, autant que la peur du Désert !

– Ce qui m'étonne, avoua Gérald, c'est que les balles des fusils ne soient pas, comme nous, repoussées par la vague magique...

– Je pense qu'elles sont trop rapides pour la magie déployée par les prêtres, répondit Yorwan après un temps de réflexion. L'important, c'est qu'elles les éliminent ! Moins il y aura de prêtres, moins le sortilège sera puissant... Retournons auprès des Korrigans et tenons-nous prêts à forcer le passage.

Gérald acquiesça. Avant de se mettre en route, Yorwan se tourna vers les jeunes gens, fronça les sourcils, et prit un air sévère.

– Je vous interdis formellement de quitter ces rochers ! Si je vois un seul d'entre vous désobéir à mon ordre, je vous promets une punition qui marquera à jamais le restant de vos jours ! J'espère que je me suis bien fait comprendre...

Pendant ce temps, Kushumaï, ses Chasseurs et les guerriers des steppes subissaient l'assaut des Orks descendus des remparts.

La jeune femme dégaina son épée et la pointa d'un geste assuré vers les monstres qui chargeaient. Les Chasseurs se rassemblèrent autour d'elle, prêts à la défendre au prix de leur vie. Les guerriers, de leur côté, se dispersèrent pour avoir une plus grande amplitude de mouvements.

– Les premiers arrivés dans les Steppes de Lumière attendent les autres ! lança presque joyeusement Tofann à ses compagnons.

Un Ork bondit sur lui en brandissant une massue maculée de sang. Le géant empoigna à deux mains sa formidable épée, et para facilement l'assaut. Puis, se baissant et tournoyant sur lui-même, il le frappa ensuite au ventre avant de se redresser pour lui fendre le crâne. Il évita agilement l'attaque d'un autre monstre derrière lui, lui décocha un coup de pied qui le plia en deux puis, en grognant sous l'effort, lui fit sauter la tête d'un puissant mouvement de lame. La bande d'étoffe huileuse qui maintenait les cheveux gris et raides de l'Ork s'envola, en même temps que sa tête roulait au sol.

– J'ai toujours dit que les Orks étaient moins dangereux qu'ils en avaient l'air ! lança Tofann qui semblait s'amuser.

Ce n'était pas l'avis des Chasseurs, qui avaient le plus grand mal à contenir les monstres dont la force redoutable avait déjà tué trois des leurs. Heureusement rompus aux techniques de combat en groupe, les Chasseurs avaient constitué une ligne de défense composée des porteurs de lance, qui tenaient tant bien que mal les Orks furibonds à distance.

– Si tes Sorciers ne viennent pas rapidement à bout des prêtres, prévint l'un des Chasseurs, nous allons être submergés.

– Je sais, répondit Kushumaï, en reprenant son souffle. Où en sont les guerriers du Nord ?

– Ils ont l'air de donner du fil à retordre à nos assaillants ! répondit un Chasseur, admiratif.

La Chasseresse se félicita de leur présence. C'étaient de remarquables combattants. À cent, s'ils le voulaient, ils pourraient conquérir le Monde Incertain. Heureusement, ils étaient d'un tempérament solitaire, et le regard qu'ils portaient sur la vie était essentiellement poétique...

Des lueurs d'effroi traversaient les petits yeux cruels des Orks qui affrontaient les robustes guerriers. Nombre d'entre eux gisaient au sol, alors que les géants du Nord étaient encore tous debout.

– Et hop, fends-y la tripai-lleu, et hop ! crève-lui les yeuuuux ! se mit à chanter Tofann de sa voix puissante.

Il renversa un Ork et planta son épée dans la poitrine d'un autre.

– Et hop, vid' le de son sa-ang, et hop ! brise-lui les deeeents ! continuèrent en chœur ses compagnons en tranchant des membres et en broyant des crânes.

Ils étaient tous si absorbés par la bataille qui se livrait à l'intérieur des murs que personne ne remarqua les prêtres qui s'effondraient sur les remparts.

Les Hommes des Sables tiraient méthodiquement, en prenant leur temps, et chacun des coups touchait sa cible. Les prêtres perchés sur les hauts murs de la ville échangeaient des regards affolés. Mais sous peine de briser le sort qui maintenait l'armée des Collines à distance de la cité, il leur était interdit de bouger ! Aussi voyaient-ils en blêmissant leurs condisciples tomber les uns après les autres.

– Maintenant, notre magie devrait passer, déclara Yorwan d'un air satisfait en comptant les silhouettes blanches sur les remparts. Allez, on essaie encore !

Mais Kor Hosik s'interposa :

– Les Sages Korrigans dire que vous laissiez faire magie de la terre. Vague blanche pas faire le poids, maintenant !

Yorwan, Gérald et Qadwan hésitèrent, et finalement acceptèrent pour ne pas froisser leurs alliés. Après tout, il serait toujours temps de faire appel à la magie des étoiles, si celle de leurs amis se révélait insuffisante !

Les vieux Korrigans recommencèrent à danser, en fredonnant un sort en korrigani, sous l'œil intrigué et attentif des Sorciers.

– Stann ! Os de la terre,
puissance du dense et de l'éternité,
par le pouvoir du phare éthéré,

et du dragon de pierre,
fais-toi mer déchaînée
contre mer déchaînée !
Roule et renverse les barrières !

La magie rouge suinta du pourtour du cercle tracé sur le sol.

Elle se rassembla pour former à son tour une vague, une vague énorme qui s'élança en direction de celle qui protégeait la cité. Affaiblie par la disparition de nombreux prêtres, la vague d'énergie blanche se dressa malgré tout devant la magie korrigane. Mais quand la lame des Oghams la heurta avec une explosion de tonnerre, elle se brisa et se dispersa pitoyablement.

— À l'attaque ! hurla l'Archer en se précipitant vers Yénibohor.

Les brigands lui emboîtèrent le pas.

— À l'attaque ! cria à son tour le Luthier pour appeler les hommes de l'Ouest au combat.

— On y va ? demanda Yorwan à ses compagnons.

— On y va ! répondirent d'une seule voix Gérald et Qadwan.

Depuis le rocher où Gérald les avait consignés, Romaric, Gontrand, Ambre, Coralie, Agathe, Thomas, Bertram, Toti et Kyle les virent s'élancer à l'assaut de Yénibohor. Même les Korrigans se joignirent au groupe. Malgré leur petite taille, ils couraient plus vite que les autres. Bientôt les Hommes des Sables se mêlèrent à leur tour aux brigands...

Les neuf jeunes gens se regardèrent.

— On reste sagement là ? demanda Gontrand d'un ton sarcastique.

— Tu rêves ! répondit Kyle.

— Yorwan a dit qu'il ne voulait pas voir un seul d'entre nous quitter le rocher, rappela Romaric. Mais... si on part tous ensemble, hein ? On ne désobéit pas vraiment !

– C'est vrai, Romaric a raison ! applaudit Coralie.

Curieusement, Bertram ne tenta pas de les raisonner. Il semblait même encore plus impatient que les autres.

– Qu'est-ce qu'on attend, alors ? lança-t-il.

– Le dernier arrivé dans la ville est une poule mouillée ! cria Ambre.

Ils se précipitèrent en courant vers les hautes murailles, et en poussant des hurlements de sauvages.

30
L'ÉTAU SE RESSERRE

– Maître ? Maître ? L'armée au-dehors s'apprête à envahir la ville...

La silhouette de ténèbres se tenait debout devant une table en chêne massif, au milieu de la pièce qui lui servait de laboratoire, située au sommet de la tour. Un livre épais, à la couverture noire piquetée d'étoiles, était ouvert devant elle, et elle le lisait fébrilement en marmonnant des mots inaudibles.

Elle se retourna, furieuse, vers le prêtre qui l'avait interrompue.

– Tu oses... me déranger... pour des choses insignifiantes...

L'homme au crâne rasé et à la tunique blanche se prosterna.

– Mais, Maître..., bégaya-t-il.

– Vois ce détail avec Lomgo... et avec Thunku... Je le paie assez cher... pour ça... Maintenant suffit... J'interdis qu'on me dérange encore... Même si la cité... venait à s'effondrer dans la mer...

Le prêtre resta silencieux et s'enfuit de la pièce sans insister. Tant pis, le Maître ignorerait que Lomgo restait introuvable depuis que la cité était assiégée...

L'Ombre retourna au sortilège contenu dans le *Livre des Étoiles*. C'était l'un des derniers qu'il était parvenu à déchiffrer, en usant de tous ses pouvoirs. Le reste du grimoire refusait obstinément de se laisser lire...

Le *Livre des Étoiles*, qui avait livré à la Guilde sa science de la magie, possédait en quelque sorte sa volonté propre. C'était là une de ses particularités. Malgré le travail assidu des Sorciers, et la propre obstination de l'Ombre elle-même, le livre empêchait le lecteur de progresser au-delà d'une certaine page ! Et cela depuis des siècles. Il avait fallu à l'Ombre des duels sans merci avec le *Livre des Étoiles*, pour lui arracher finalement des bribes de sortilèges... qu'elle était désormais seule à détenir.

Mais qu'étaient ces quelques malheureux sortilèges, comparés à toutes les promesses que les pages contenaient ? Celui qui parviendrait à déchiffrer l'intégralité du Livre prendrait possession du monde entier – de tous les mondes ! Celui qui dompterait le *Livre des Étoiles* serait capable de soumettre à sa toute-puissance le Pays d'Ys, le Monde Incertain et, surtout, le Monde Certain.

Il fallait peu de chose pour cela. Juste un enfant, à l'*Önd* plus développé que la normale, plus réceptif que les autres aux pouvoirs des Graphèmes ! Et c'était précisément ce gamin qui lui tenait tête, de façon incompréhensible, dans un cachot de la tour, à l'étage inférieur...

L'Ombre frappa la table du poing, puis s'obligea à se concentrer à nouveau sur son sortilège.

Elle avait eu une idée pour vaincre la résistance de Guillemot ! Une idée qui lui demandait tout son temps et toute son énergie depuis l'échec de la Tortue-Monde...

Puisqu'affronter le garçon directement ne faisait que renforcer ses pouvoirs, l'Ombre avait décidé de l'attaquer par surprise, par-derrière, sans qu'il s'en rende compte. Elle avait donc tissé un sort compliqué, qu'elle distillait de façon invisible à travers les murs de la tour, depuis sa table, Graphème après Graphème. Les premiers résultats commençaient nettement à se faire sentir. Dans le cachot de Guillemot, figé au milieu de son œuf cosmique dans la posture extatique qui l'avait soustrait au monde extérieur, la lumière bleutée d'*Odala* n'éclairait plus l'Armure d'*Ægishjamur*, et les flammes rouges s'étaient éteintes sur trois des huit branches de *Hagal*...

La vigueur de l'assaut fit reculer la garnison d'Orks jusqu'au pont enjambant le fleuve. Kushumaï se planta au milieu de la cohue, cherchant du regard les principaux chefs de l'armée des Collines afin d'organiser les opérations dans la cité. Ses yeux verts pétillaient. Elle était splendide, on aurait dit une déesse de la Guerre.

– Chasseurs ! cria-t-elle à l'adresse de ses hommes. À la prison ! Libérez les Chevaliers qui y sont enfermés !

Les hommes de l'Irtych Violet, abandonnant le champ de bataille, s'élancèrent aussitôt en direction du bâtiment qui, selon les espions de l'Ours, devait abriter les geôles de Yénibohor.

– L'Archer ! Le Luthier ! continua-t-elle. Occupez-vous des Orks !

La bataille faisait rage. Les hommes de l'Ouest peinaient face aux monstres. Les brigands s'en sortaient mieux, mais on voyait que le rapport de forces leur était nettement défavorable.

– On va faire ce qu'on peut ! hurla l'Archer.

Kushumaï, qui n'avait pas perdu de vue le principal objectif de cet assaut, s'assura que Yorwan, Gérald et Qadwan, accompagnés des Korrigans, la suivaient de près. La tour devait avoir sa propre défense, non pas constituée d'Orks, mais de prêtres !

– Tofann ! appela-t-elle. Nous allons à la tour ! Ouvre-nous le passage avec tes guerriers !

– Tu as bien dit ouvrir ? répondit le géant avec ironie. Très bien !

Il se précipita en avant, et fendit un Ork sur toute la longueur.

Les guerriers des steppes, usant de leurs immenses épées, se frayèrent un passage au milieu du champ de bataille. Les Sorciers, les Korrigans et, furtifs comme des ombres, les Hommes des Sables avec leurs antiques fusils se glissèrent à leur suite.

– La tour ! C'est bien de cette tour dont tu parlais ? demanda Agathe à Romaric.

– Je n'en vois pas d'autre, en tout cas...

La petite bande avait réussi à se faufiler dans la ville et, profitant du tumulte général et des nuages de poussière qu'engendrait le combat, elle était parvenue à se réfugier dans une ruelle, à l'abri de la bataille.

– Allons-y, proposa Ambre. Inutile de perdre du temps.

– Je suis d'accord ! approuva Bertram.

Les neuf jeunes gens prirent la direction de la tour sombre qui se détachait sur le ciel. Ils firent attention à n'emprunter que des ruelles et à raser les murs.

Ils étaient sur le point d'arriver au pied de la tour, quand Coralie hurla. Débouchant d'une rue perpendiculaire, un Ork s'apprêtait à les pourchasser, faisant tournoyer sa massue au-dessus de sa tête.

– Oh non ! gémit Ambre.

– Vous ne trouvez pas que ça a un petit air de déjà vu ? s'exclama Gontrand avec un soupir.

Il venait de se rappeler l'épisode dans la forêt de Troïl, lorsqu'ils étaient tombés dans une embuscade tendue par des Orks.

– En effet, répliqua Thomas. Vous allez voir ce que vous allez voir !

Il dégaina le coutelas de chasse emprunté au père d'Agathe et fit volte-face. Puis il s'élança à la rencontre de l'Ork qui, visiblement, ne s'attendait pas à être pris d'assaut. La créature monstrueuse eut à peine le temps d'abattre sur lui son arme : elle s'effondra à terre, entraînée par son élan. Thomas, touché à la jambe et à l'épaule, hurla de peur. Des larmes de douleur lui montèrent aux yeux, mais il trouva néanmoins la force de frapper l'Ork plusieurs fois avec son couteau, avant de s'évanouir. Sous lui, l'Ork s'agita un court instant, se raidit, puis cessa définitivement de bouger.

– Thomas !

Agathe se précipita vers son ami. Le reste de la bande la suivit. Ils s'assurèrent dans un premier temps que l'Ork était bien passé de vie à trépas, puis s'occupèrent de Thomas qui gisait, sans connaissance, assommé par le coup de massue du monstre. Constatant l'embarras et la maladresse de ses compagnons, Toti s'empressa de placer le blessé sur le côté, dans une position où il ne risquait pas de s'étouffer.

– Tu t'y connais en secourisme ? demanda Agathe, en portant sur le jeune garçon un regard plein d'espoir.

– C'est moi qui soigne les amis de mon frère quand ils sont blessés, avoua Toti en rougissant légèrement.

– Dans ce cas, si tu le veux bien, proposa Agathe, tu vas rester avec moi pour veiller sur Thomas, et m'aider à le mettre à l'abri dans une de ces maisons vides. Les autres, allez à la tour. Elle est juste là !

Romaric, Coralie, Ambre, Gontrand et Bertram hésitaient à les abandonner mais, après concertation, ils reconnurent qu'Agathe avait raison. Ils devaient aller jusqu'au bout de leur entreprise. Sinon, tous les efforts qu'ils avaient déployés jusqu'ici seraient vains.

– Bonne chance, Agathe, dit Ambre, en l'embrassant.

– Sauve Guillemot pour moi ! répondit la grande fille émue. Et puis, ajouta-t-elle à voix basse, s'il te plaît, veille sur Gontrand…

Ambre regarda Agathe avec surprise, puis elle esquissa un sourire signifiant qu'elle avait bien reçu le message. Contrairement à ce que croyaient les garçons, il y avait des secrets que les filles ne trahissaient pas...

Elle prit la tête du groupe désormais réduit à six personnes. Quelques minutes plus tard, ils s'engouffrèrent dans la tour par une poterne entrouverte.

31
OÙ L'ON PARLE À NOUVEAU DES CHEVALIERS...

Le vacarme de la bataille n'avait pas échappé aux Chevaliers prisonniers dans les sous-sols de Yénibohor. Certains firent la courte échelle à d'autres, qui essayèrent de voir ce qui se passait en regardant par les soupiraux donnant sur la rue.

– On ne voit rien, dit Ambor que le Commandeur avait hissé sur ses épaules.

– Le bruit semble provenir de l'entrée de la ville, ajouta Qadehar, monté sur les épaules d'Urien, dans le cachot voisin. À mon avis, poursuivit-il avec un soupçon d'espoir dans la voix, ce sont les renforts que Gérald et Qadwan ont ramenés d'Ys !

Des exclamations enjouées retentirent d'un bout à l'autre du couloir séparant les deux rangées de cellules.

– Si Maître Qadehar dit vrai, annonça le Commandeur de sa voix forte, il faut nous tenir prêts : nos compagnons chercheront à nous libérer !

Mais la recommandation du chef de la Confrérie était inutile : les Chevaliers, frémissants, étaient tous debout, et ils attendaient leurs sauveurs avec une espérance et une vigueur retrouvées.

Un brouhaha accompagné de cris étouffés se fit bientôt entendre du côté de la salle où résidaient les gardiens. Les Chevaliers, qui s'attendaient à voir d'autres Chevaliers ramenés d'Ys par Gérald, restèrent bouche bée quand ils découvrirent, déboulant dans le couloir, des hommes habillés d'une étrange armure violette et coiffés de casques surmontés d'un crâne d'animal. Leur stupéfaction fut à son comble quand ces hommes, en ouvrant les grilles des cachots à l'aide des clés arrachées aux gardes, s'adressèrent à eux dans la langue du Monde Incertain...

– Combien êtes-vous ? demanda l'un des libérateurs.

– Nous sommes cent vingt, répondit le Commandeur en se faisant reconnaître, cent vingt Chevaliers, dont une quarantaine de blessés légers.

– S'ils peuvent tenir une arme, même les blessés seront les bienvenus, déclara le Chasseur. Il faut venir en aide aux malheureux qui se battent à l'entrée de la cité. Les Orks sont en train de les décimer !

– Des malheureux ? s'étonna Bertolen.

– Des brigands et des paysans, venus de tout le Monde Incertain ! Des gens plus habitués à couper le blé que des gorges, plus habiles à voler les marchands qu'à affronter des monstres sanguinaires !

– Vous avez entendu ? rugit le Commandeur à l'adresse de ses hommes. Allons-nous laisser de pauvres gens se faire massacrer, des gens qui ont eu le courage et l'amitié de venir en aide à des ressortissants d'un monde étranger ?

– Non ! hurlèrent les Chevaliers à l'unisson.

– Où peut-on trouver des armes ? demanda le Commandeur en se tournant vers le Chasseur.

– Il y a des sabres d'Ork et des haches de guerre dans la salle des gardes.

– Je crois, dit Ambor avec un grand sourire, que ça fera l'affaire...

Pendant ce temps, près de l'entrée, coincés entre la grande porte et le Fleuve Mouillé, les hommes de l'Ouest et les brigands subissaient de lourdes pertes. Le désespoir se lisait sur le visage des combattants qui paraient les coups et y répondaient sans y croire.

À l'inverse, les Orks grognaient de satisfaction en voyant les rangs de l'armée des Collines s'éclaircir. Ils estimaient qu'en peu de temps ils auraient écrasé cette mauvaise troupe !

Mais soudain, au bruit d'une cavalcade, les Orks les plus proches du pont se retournèrent. Leurs petits yeux s'écarquillèrent d'effroi : débouchant de la rue menant à la prison, une compagnie entière de Chevaliers, brandissant sabres dentelés et haches aiguisées, s'apprêtait à leur tomber dessus.

– Nous sommes sauvés ! hurla l'Archer.

– Des Chevaliers d'Ys ! Ce sont des Chevaliers d'Ys ! cria le Luthier.

Rassérénés par l'arrivée de ces renforts inattendus, brigands et paysans se jetèrent dans la bataille avec une énergie nouvelle.

Plongeant tête baissée et l'arme levée au beau milieu des Orks pétrifiés, les Chevaliers laissèrent libre cours à leur fureur, une fureur qu'avait amplifiée l'humiliation de leur séjour dans les cachots. L'affrontement prit une nouvelle tournure, et les Orks commencèrent à reculer pas à pas...

Urien et Qadehar, qui portait toujours l'armure cabossée du pauvre Valentin, sortirent en dernier du bâtiment abritant les cachots de la ville. Le géant supplia son ami de presser le pas ; les Chevaliers étaient déjà loin et, aux cris que l'on entendait, les premiers étaient déjà aux prises avec les Orks. Mais le Sorcier regardait ailleurs. Vers la tour maléfique qui se dressait au centre de la cité.

– Laissons-les, ils sont assez nombreux ! Nous avons mieux à faire.

– Mieux à faire que de se battre ? protesta Urien. Mais, Qadehar...

– Écoute-moi, Urien ! intima sèchement le Sorcier. Tu ne crois pas que tu as fait assez d'erreurs comme ça ?

Le colosse baissa la tête, l'air misérable. Le souvenir de sa responsabilité dans la mort de Valentin le heurta douloureusement. Ses épaules s'affaissèrent et une larme coula sur sa joue.

– Pardon, Qadehar, s'excusa Urien, d'une voix faible. Je ne suis qu'un pauvre fou.

– Les regrets ne servent à rien. Nous devons nous rendre à cette tour ! Je suis certain que c'est là que Guillemot est enfermé.

Sans un mot de plus, Qadehar fit volte-face et se hâta vers l'inquiétant édifice, entraînant le Seigneur de Troïl à sa suite.

– Quel est le programme ? demanda Kyle à ses amis, une fois qu'ils se furent tous engouffrés dans la tour.

– On cherche Guillemot et on le sort de là ! répondit Bertram.

– Parfaitement résumé, approuva Gontrand.

La pièce dans laquelle ils se trouvaient ressemblait à une cuisine. Ils avaient dû emprunter une entrée de service ! Elle était heureusement déserte, peut-être évacuée précipitamment comme le laissaient supposer des chaises renversées et la porte béante. Un passage, à l'opposé, ouvrait sur un escalier en colimaçon qui conduisait d'un côté vers les sous-sols et, de l'autre, vers les étages.

Au moment où ils allaient s'y engager, des bruits de pas les firent reculer précipitamment.

– Quelqu'un vient ! s'exclama Coralie à voix basse.

– Il faut se cacher ! dit Romaric.

– Où ça ? se désespéra son amie en regardant autour d'elle.

– Là ! Dans le placard ! proposa Kyle.

Ils se précipitèrent tous les six vers un immense placard, de la longueur du mur, et s'entassèrent à l'intérieur. Heureusement, le placard – un énorme garde-manger peut-être – était complètement vide. Ils refermèrent la porte sur eux, mais prirent soin de la laisser entrebâillée.

Une cinquantaine d'Orks surgirent alors en courant dans la cuisine. Plus terrifiants que tous ceux qu'ils avaient vus jusqu'à présent, ils étaient dirigés par une espèce de géant à l'armure noire et aux yeux étincelants de colère. Trois prêtres, au crâne rasé, vêtus de leur inimitable tunique blanche, les suivaient.

La petite bande, réfugiée dans le placard, ne put réprimer un frisson d'effroi.

– Thunku ! murmura Coralie.

– Chut ! fit Ambre en roulant des yeux.

Les Orks et leur chef, qui était bel et bien le Commandant Thunku, sortirent de la tour. Les prêtres refermèrent soigneusement la porte principale, élaborèrent rapidement un sortilège pour la bloquer, puis s'éloignèrent en silence.

Les jeunes gens, dont le cœur battait à tout rompre, attendirent un long moment avant d'oser quitter leur cachette.

– Bon sang ! Qu'est-ce que c'est que ça ? s'étonna Urien en découvrant le rideau de flammes noires qui interdisait l'accès à la tour.

– Une barrière magique, certainement dressée par les prêtres, expliqua Qadehar en examinant avec attention le sortilège. Une barrière solide, que je ne parviendrai pas à briser seul !

Il serra les poings de rage.

– C'est trop bête ! tempêta le Sorcier. Guillemot est là, à quelques pas, et je suis impuissant ! Moi, le meilleur Sorcier de la Guilde ! C'est risible...

– Décidément, toujours à se vanter, hein ?

Qadehar se retourna brusquement. Gérald était devant lui. Une troupe étonnante l'accompagnait.

– Ne t'inquiète pas, continua Gérald, tandis que Qadehar le pressait avec émotion contre lui. Tu n'es plus seul. Je te promets qu'on va tirer ton Apprenti de là.

S'arrachant à l'étreinte du Sorcier, Gérald fit les présentations :

– À côté de Yorwan et de Qadwan, voici Tofann et ses guerriers des steppes. Sans ces valeureux hommes, nous serions tous morts à l'heure qu'il est !

Le regard d'Urien s'éclaira en découvrant les fiers guerriers.

– Et voilà Kor Hosik, envoyé par Kor Mehtar, le roi des Korrigans d'Ys, et les grands magiciens du Petit Peuple, continua Gérald, qui s'appliquait à faire les présentations en bonne et due forme.

– *Me voilà très honoré,*
de me trouver en la présence
de magiciens si réputés !

Ils ont toute ma confiance..., dit Qadehar en korrigani avec un mouvement respectueux du buste, ce qui provoqua des murmures de satisfaction chez les Korrigans.

– Derrière nous, armés de fusils, toujours aussi modestes et discrets, ce sont les Hommes des Sables. Quant à cette jeune femme qui se cache derrière Yorwan, elle commande notre armée et, de façon plus générale, elle dirige la Société de l'Ours dont je te parlerai plus tard...

Kushumaï fit un pas en avant et planta son regard dans celui de Qadehar. Les yeux verts rencontrèrent les yeux gris. Les premiers brillants d'émotion, les seconds écarquillés de surprise.

– Toi ? s'exclama le Sorcier, abasourdi.

– Bonjour, Azhdar, ou Qadehar, puisque tel semble être ton véritable nom. Je suis heureuse de te revoir. Cela fait si longtemps...

32

AU PIED DU MUR

– Vous vous… connaissez ? demanda Yorwan, visiblement stupéfait.

Il n'était pas le seul. Gérald et Qadwan faisaient des
yeux ronds.

– Hum… oui, bafouilla Qadehar en s'empourprant légèrement et en se tortillant dans son armure. Nous nous
sommes rencontrés, il y a plusieurs années, dans une
taverne de Ferghânâ…

– Tu es rouge écarlate, ma parole ! s'exclama Gérald.
C'est bien la première fois que je te vois dans cet état !

– Ce doit être la chaleur, plaisanta Qadwan d'un air
malicieux.

– Tu t'appelles donc Azhdar ? interrogea Urien.

– Azhdar est le nom que notre ami utilise lorsqu'il
voyage dans le Monde Incertain, lui répondit Gérald. Pour
pouvoir enquêter en toute discrétion…

– Et pour mener une double vie, le taquina encore Qadwan.

– Oh, je vous en prie, intervint Qadehar, agacé. Nous
avons eu l'occasion de passer quelques jours ensemble,
c'est tout !

– Quelques jours et quelques nuits, pour être précis,
intervint Kushumaï, que l'embarras du Sorcier semblait
amuser.

– Nous étions jeunes... Cette rencontre date d'il y a... quinze ans !

– Quatorze ans, rectifia la jeune femme. Azhdar, pourquoi chercher à se justifier ? Le passé appartient au passé, c'est tout. Aujourd'hui, je suis Kushumaï la Chasseresse, Sorcière en exil dans l'Irtych Violet, chef de la Société de l'Ours et de l'armée qui est en train de prendre cette ville. Toi tu es Qadehar, Sorcier de la Guilde. Si nous sommes à nouveau réunis, ce n'est pas pour évoquer notre rencontre du passé, mais pour sauver un enfant d'Ys ! Et pour mettre définitivement un terme aux manigances des prêtres et à la terreur qu'ils font régner dans ce monde.

Qadehar contemplait Kushumaï. Il se souvint de la jeune fille effrontée qui dansait sur les tables des tavernes, et dont il était tombé follement amoureux alors qu'il était jeune Sorcier. Il l'avait rencontrée au cours d'une mission qu'il effectuait pour la Guilde dans le Monde Incertain. Cette jeune fille splendide était devenue une femme superbe, impressionnante d'assurance et de volonté.

Qadehar fit un effort pour se reprendre.

– Tu as raison, bien sûr, répondit-il. Revenons à cette barrière de flammes : comment la franchir ?

Yorwan montra d'un geste de la main le groupe de prêtres immobiles au sommet de la tour, indiquant par là que la magie de Bohor était une nouvelle fois à l'œuvre contre eux.

– Nous allons agir comme nous venons de le faire pour pénétrer dans la cité ! répondit-il à Qadehar.

Les Hommes des Sables prirent position au bas de la tour, levèrent leurs armes, et entreprirent d'abattre méthodiquement les hommes en blanc.

Pendant ce temps, les Korrigans tracèrent un cercle dans la poussière, et les guerriers des steppes se préparèrent à bondir à travers la brèche que la magie rouge ne tarderait pas à ouvrir...

Au même moment, dans son laboratoire, l'Ombre exultait. Les protections avaient fini par céder autour de Guillemot ! Le sortilège tissé avec une patience infinie à partir du *Livre des Étoiles* avait vaincu les Graphèmes dont l'Apprenti Sorcier s'était entouré...

L'Ombre referma le grimoire. Entraînant les ténèbres avec elle, elle se dirigea vers l'escalier, qu'elle descendit rapidement jusqu'à l'étage où Guillemot était emprisonné. Elle ouvrit la porte : toutes les barrières érigées entre elle et lui s'étaient dissoutes, et le garçon gisait sur le sol, à l'endroit où l'œuf stellaire s'était brisé.

– Enfin... je vais pouvoir enfin... accomplir le Grand Œuvre...

L'Ombre s'approcha de Guillemot, qui bougea légèrement.

– Tu te réveilles... Tant mieux, mon garçon... Cela m'évitera d'avoir à le faire... trop brutalement...

– Les... les Graphèmes ? balbutia Guillemot d'une voix cassée.

– Disparus... envolés... détruits... Je te l'avais dit... que tu finirais par être à moi...

L'Apprenti Sorcier tenta de se lever, d'opposer une résistance à son adversaire. Mais il était bien trop faible, et il retomba sur le dallage en pierre de son cachot. L'Ombre l'attrapa. Guillemot sentit un froid insidieux envahir son corps.

– Je t'emmène... vers ton destin... Vers notre destin...

Guillemot réalisa que l'Ombre l'emportait, l'entraînait hors de la pièce. Il rassembla le peu de forces qu'il lui restait, et lança un hurlement de protestation, un hurlement désespéré.

Les jeunes gens s'étaient enfin décidés à quitter leur cachette où ils avaient trouvé refuge, et s'étaient dirigés vers l'escalier. À présent, ils hésitaient : fallait-il monter ou bien descendre ?

– Je propose que nous descendions, dit Bertram. Guillemot a été fait prisonnier, il se trouve donc dans un cachot. Or chacun sait que les cachots sont au sous-sol.

Personne ne trouva à redire à l'argumentation du jeune Sorcier.

Romaric s'empara d'une torche qui brûlait contre un mur et ouvrit la marche. Ils s'enfoncèrent dans les entrailles de la tour.

– Coralie, qu'est-ce que tu fais ? s'impatienta Ambre. Les autres sont partis !

– Ça va, j'arrive, il n'y a pas le feu, dit-t-elle en terminant tranquillement de refaire ses lacets.

Au même instant, ils entendirent un hurlement.

– Tu as entendu ?

– On aurait dit la voix de Guillemot !

Ambre et Coralie se figèrent et tendirent l'oreille. Elles ne perçurent que des claquements secs, réguliers. Le bruit des fusils qui tiraient, dehors.

– Je t'assure que c'était Guillemot ! répéta Ambre. Allons-y !

– Ambre, attends ! Il faut prévenir les autres !

Mais l'intrépide jeune fille s'était déjà élancée dans l'escalier, en direction des étages.

– C'est toujours pareil, grommela Coralie en lui emboîtant le pas.

Elles passèrent devant une première chambre, vide, grimpèrent encore, et débouchèrent enfin dans une vaste pièce encombrée d'instruments de sorcellerie.

Ambre s'était immobilisée et montrait du doigt, en tremblant, quelque chose au milieu de la pièce.

– Là... regarde ! C'est Guillemot et...

– L'Ombre !

Coralie avait hurlé en découvrant la scène.

Guillemot était allongé sur une table massive, à côté d'un gros livre à la couverture constellée ; il sembla s'agiter faiblement. Devant la table se tenait une silhouette environnée de ténèbres. Dans le mouvement qu'elle fit pour se tourner vers les intrus, des lambeaux d'obscurité se détachèrent et grésillèrent sur le sol d'une façon sinistre. Perçant le manteau d'obscurité, deux yeux semblables à des braises se mirent à rougeoyer.

– Si ce n'est pas touchant... Ces jeunes filles doivent être tes amies, mon garçon... C'est bien... très bien... Tout spectacle en fin de compte... réclame des spectateurs... Tout moment historique appelle... des témoins...

L'Ombre avait parlé d'une voix caressante, presque douce, et les chuchotements enjôleurs glacèrent le sang des deux sœurs. Terrifiées, incapables de battre en retraite, elles sentirent leurs jambes fléchir, et leur cœur se liquéfier. L'Ombre ricana.

– C'est long, c'est trop long, se plaignit Qadehar en se débarrassant de son armure.

– Patience, mon ami, lui répondit Gérald. Les Hommes des Sables font aussi vite qu'ils le peuvent !

Au même instant, comme pour confirmer ses dires, deux prêtres tombèrent du haut de la tour. Estimant le nombre des défenseurs suffisamment réduit, les mages Korrigans entamèrent leur sortilège. Soudain, celui-ci jaillit du cercle et s'élança à l'assaut du rideau de flammes, qu'il détruisit et éparpilla dans une gerbe de gouttelettes rouges et noires. Sous le choc, les derniers prêtres s'effondrèrent, comme foudroyés.

– Enfin ! s'exclama Qadehar.

Les guerriers des steppes s'apprêtaient à bondir vers la tour quand un Chasseur hors d'haleine surgit d'une ruelle.

– Nous avons des problèmes à l'entrée ! Thunku est arrivé avec des renforts d'Orks, et les Chevaliers ne suffisent plus. Il nous faut l'aide des guerriers du Nord. Sans compter que les prêtres se sont ressaisis. Depuis les remparts, ils envoient des sorts qui paralysent nos hommes !

Kushumaï évalua rapidement la situation. Si l'armée des Collines cédait face aux Orks, ils n'auraient de toute façon pas le temps d'investir la tour. Elle se décida :

– Tofann et ses guerriers vont t'accompagner, ainsi que les Hommes des Sables et les Korrigans, s'ils sont d'accord. J'ai besoin des autres ici. C'est tout ce que je peux faire. J'espère que la force des uns, l'habileté et les pouvoirs des autres suffiront à faire pencher la balance de notre côté.

Tofann acquiesça, ainsi que Kor Hosik, qui représentait les Korrigans. Les Hommes des Sables se contentèrent d'approuver d'un signe de tête. Puis ils partirent tous en courant derrière le Chasseur.

C'est alors qu'Urien s'avança.

– Kushumaï, Qadehar, je demande l'honneur d'accompagner ces braves et de porter secours à mes compagnons. Offrez-moi l'occasion de me racheter. Laissez-moi les rejoindre !

– Va, vieux Chevalier, accepta la jeune femme après un temps d'hésitation. Tu es fait pour la guerre, la guerre franche, celle qui se livre au corps à corps et à coups d'épée ! Qui sait ce qui nous attend dans cette tour, quels maléfices auxquels tu ne comprendrais rien ? Va !

Urien de Troïl adressa à la Chasseresse un regard plein de reconnaissance, et s'empressa de gagner le champ de bataille.

– Nous voilà maintenant au pied du mur, déclara-t-elle solennellement, si je peux me permettre de plaisanter une dernière fois !

– Bah ! On a bien coutume de dire que c'est au pied du mur qu'on voit le maçon, dit Gérald en lui adressant un sourire de connivence. C'est dans le donjon qu'on verra le Sorcier !

Qadehar, Gérald, Qadwan, Kushumaï et le Seigneur Sha se dirigèrent d'un pas décidé vers la porte principale de la tour.

33
IMPUISSANTS !

Comme les Sorciers s'y attendaient, la porte principale était fermée et bloquée par un sort. Qadehar alla tenter sa chance vers une entrée de service, aperçue plus loin.

– Condamnée, elle aussi, annonça-t-il en revenant.

– Tant pis, on va essayer d'ouvrir celle-là, dit Yorwan.

Ils conjuguèrent leurs pouvoirs autour d'*Elhaz*, le Graphème débloqueur. La porte céda plus facilement qu'ils l'auraient cru.

– À nous cinq, on déménage ! plaisanta Gérald.

– Je pense plutôt que les prêtres qui ont confectionné le sort étaient pressés, répondit Kushumaï. Allons-y…

Au même moment, ils entendirent des cris derrière eux : un groupe de prêtres se précipitait vers la tour.

– D'où sortent-ils, ceux-là ? gronda Qadehar.

– Sans doute des remparts, répondit Kushumaï. Ils viennent prêter main-forte à leurs collègues !

– Allez-y, dit soudain le Seigneur Sha. Fouillez la tour ! Je me charge de les retenir.

– Tu es sûr ?

– Oui, Chasseresse. Partez.

Le Seigneur Sha prit une posture terrible et accueillit les prêtres avec des *Thursaz* puissants. Les assaillants crièrent de colère, mais durent s'arrêter pour bâtir un sortilège de défense.

– Partez ! répéta le Sorcier.

Sans plus attendre, Qadehar, Kushumaï, Gérald et Qadwan s'engouffrèrent dans le bâtiment.

Au sommet de la tour, dans la pièce bâtie de pierres grises, remplie de meubles et d'étranges instruments, Ambre se ressaisit la première. L'instant de terreur passé, elle aspira quelques bouffées d'air, puis soudain, sans comprendre la force inhabituelle qui la guidait, elle s'avança en direction de la table sur laquelle gisait Guillemot.

– Reste où tu es... J'ai parlé de spectacle... Et ni toi ni ton amie... ne faites partie des acteurs... De simples spectateurs... J'ai dit de simples spectateurs... La prochaine qui essaie de s'approcher... ou qui tente de déranger mon rituel... je la change en crapaud...

Les chuchotements caverneux de l'Ombre avaient retenti de façon autoritaire. La créature tenait Guillemot à sa merci... La jeune fille s'arrêta net. Le sentiment d'impuissance qui la submergea, et la profonde injustice qui l'accompagnait, lui fit monter les larmes aux yeux.

Derrière elle, Coralie partageait son émotion.

Elles reculèrent pas à pas jusqu'aux premières marches de l'escalier. Elles étaient si fascinées par ce qu'elles voyaient qu'à aucun moment ne leur vint l'idée de s'enfuir.

L'Ombre cessa soudain de leur prêter attention, comme si elles n'avaient jamais existé, et se concentra de nouveau sur le rituel qu'elle s'apprêtait à accomplir avec Guillemot et le grimoire. Ambre et Coralie s'efforcèrent de retrouver une respiration normale et d'apaiser les tremblements de peur qui les agitaient.

– Regarde, Ambre ! Qu'est-ce que l'Ombre est en train de faire à Guillemot ?

L'Ombre avait ouvert le *Livre des Étoiles,* et tentait de revigorer son prisonnier.

– Elle a l'air de trouver Guillemot trop faible pour son rituel.

– Tu ne crois pas que l'on pourrait en profiter pour s'approcher, sans se faire remarquer ?

L'Ombre tourna soudain vers elles ses yeux de braise. Elles se recroquevillèrent dans l'encoignure de la porte.

– Silence… silence, maudites gamines… Vous m'empêchez… de me concentrer…

– Tant mieux ! commenta Ambre entre ses dents.

Elles se turent. Sans se concerter davantage, elles entreprirent de suivre l'idée de Coralie, et avancèrent tout doucement en direction de Guillemot.

– Vous me prenez… pour un imbécile…, se mit à gronder l'Ombre. Il y en a peut-être une en définitive… qui tient vraiment… à se faire changer en crapaud…

Elles s'arrêtèrent à quelques pas de la porte, conscientes d'avoir été trop loin.

– Et si l'on rencontre l'Ombre, comme ça, au détour d'une marche ? demanda Bertram à Romaric qui avançait prudemment en tendant sa torche devant lui.

– On lui tombe dessus et on lui tire les oreilles ! ironisa Gontrand.

– Tu as peur ? s'étonna Kyle. C'est pourtant toi qui as proposé de prendre la direction des sous-sols.

Bertram grommela quelque chose d'incompréhensible et se tut.

L'escalier continuait à descendre, interminablement. Les murs suintaient d'humidité. Par endroits, d'énormes araignées se tenaient tapies au centre de leur toile.

– Brrr ! fit Gontrand. Celles-là doivent se nourrir de rats ! C'est bizarre que l'on n'ait pas encore entendu Coralie hurler ! Coralie ?

Personne ne lui répondit. Inquiet, Gontrand réclama une pause.

– Qui a vu Coralie pour la dernière fois ?

Un silence gêné lui répondit. Chacun n'avait prêté

attention qu'à soi-même tout au long de la descente, tant les marches étaient glissantes, et tant l'angoisse de faire une mauvaise rencontre était forte. Romaric passa la torche à Bertram qui fermait la marche. Ils n'étaient que tous les quatre.

– Ambre ? Coralie ? cria encore Gontrand.

– Quelque chose les a peut-être retardées, suggéra Kyle.

– Ou bien quelque chose leur est arrivé, corrigea lugubrement Gontrand.

– On remonte ! dit Romaric en reprenant la tête du petit groupe.

Tout à son rituel, l'Ombre attrapa sur une étagère une fiole contenant un liquide épais et sombre. Elle la déboucha et glissa le goulot entre les lèvres de Guillemot, pâle comme un mort.

– Bois... prends des forces... j'ai besoin d'un garçon vivant pour le rituel... pas d'un cadavre...

Guillemot toussa et recracha un peu de liquide. Il sentit soudain, comme un coup de fouet, la vie l'envahir à nouveau. Son corps retrouva suffisamment de forces pour qu'il parvienne à s'asseoir péniblement sur le bord de la table en bois.

– Bien... Très bien, mon garçon... Nous allons pouvoir passer... aux choses sérieuses...

Il y eut tout à coup un bruit de cavalcade. L'Ombre jeta un regard terrible sur les deux filles. Celles-ci écarquillèrent les yeux et levèrent les mains pour bien montrer qu'elles n'y étaient pour rien...

Une silhouette apparut sur le seuil, bientôt suivie par deux autres. L'Ombre poussa un cri de colère. Qadehar, Gérald et Kushumaï s'apprêtaient à pénétrer dans le laboratoire. Plus bas dans l'escalier, Qadwan toussait et reprenait son souffle.

L'Ombre fit un grand geste en direction de l'entrée, et cria quelques mots gutturaux...

– Maître Qadehar ! s'exclama Coralie.

Ambre, bouche bée et les bras ballants, fixait Kushumaï, la femme qui ne cessait d'apparaître dans ses rêves ! Yeux verts, cheveux clairs, crâne d'ours sur le casque... Existait-elle donc vraiment ? Que cela signifiait-il ? La jeune femme la regardait également, un sourire énigmatique sur les lèvres.

– Vous ! s'exclama Qadehar en découvrant les jeunes filles contre le mur, à quelques mètres d'eux.

– Mais enfin que faites-vous ici ? Et où sont les autres ? s'étonna à son tour Gérald.

– Elles ont vu de la lumière et elles sont entrées..., répondit à leur place Kushumaï en haussant les épaules Vous ne croyez pas que l'on peut remettre ces questions à plus tard ?

Comme pour approuver, Qadehar se précipita en direction de la table, au milieu de la pièce, sur laquelle se trouvaient Guillemot et le *Livre des Étoiles*. Il n'avança pas bien loin : il s'écrasa contre un mur d'énergie que l'Ombre avait érigé juste devant la porte. Une paroi transparente comme du verre, mais solide comme de l'acier.

Ambre et Coralie coururent à la barrière invisible et tapèrent contre elle. Elles étaient prisonnières ! Séparées du Sorcier par la magie de l'Ombre ! Les doigts de Qadehar étaient à quelques centimètres des leurs, mais plus inaccessibles que s'ils avaient été à des kilomètres...

Les Sorciers et la Sorcière se rassemblèrent.

– Éloignez-vous de cette paroi ! intima Qadehar aux jeunes filles.

Elles obéirent aussitôt.

Pendant ce temps, indifférente aux manœuvres des Sorciers, l'Ombre entamait le rituel qui allait, grâce aux pouvoirs de Guillemot, briser la résistance du *Livre des Étoiles* et lui permettre d'en découvrir tous les secrets...

Kushumaï, Qadehar et Gérald tentèrent plusieurs sortilèges qui échouèrent tous lamentablement contre la barrière

– C'est incroyable, reconnut Gérald. Le plus petit des *Galdr* que nous avons lancés contre cette paroi suffirait à forcer toutes les portes de Gifdu!

– La puissance de l'Ombre est phénoménale, souffla Qadehar. Je n'ai jamais rencontré un sort comme celui-là!

– À mon avis..., dit Qadwan d'une voix exténuée, la construction de ce mur de protection a dû... demander beaucoup de temps, même à l'Ombre. Il devait déjà être en place, et elle l'a simplement activé lorsque nous sommes arrivés...

Le vieux Sorcier, encore épuisé par les efforts qu'il avait faits pour gravir les marches jusqu'en haut de la tour, s'était adossé à un mur. Bien que ses explications ne modifient en rien leur situation, elles rassurèrent malgré tout ses condisciples qui comprenaient mieux les échecs répétés de leurs tentatives. Un sort longuement et puissamment tissé ne se brisait pas si facilement!

– Et si nous tentions d'élaborer l'*Insigil du Lindorm*? proposa Gérald.

– Le sortilège du Dragon? s'exclama Qadwan. Tu es fou! Nous ne sommes même pas sûrs qu'il parvienne à briser le mur! Et s'il nous échappe, on sera mal!

– Qadwan a raison, confirma Qadehar. Le *Lindorm* est puissant mais dangereux, et nous demanderait autant d'énergie pour le créer que pour le contrôler. Il faut trouver autre chose.

– D'après vous, demanda subitement Kushumaï, le mur est-il aussi résistant de l'intérieur que de l'extérieur?

– Il y a peu de chance, affirma Qadehar. Un tel mur est toujours construit pour résister à une agression extérieure. Mais cela ne nous avance pas beaucoup : nous sommes bel et bien de l'autre côté de la protection !

– J'ai une idée, murmura la Chasseresse.

Elle s'approcha de la barrière invisible et adressa un signe à Ambre.

34
LES SŒURS JUMELLES

– Ambre ? Approche-toi...

La jeune fille hésita, puis s'approcha de Kushumaï.

– Qui êtes-vous ? Suis-je encore en train de rêver ?

– Non, tu es bien éveillée, et il ne s'agit pas d'un rêve. Je te promets de bientôt répondre à toutes tes questions. Mais le temps presse ! Veux-tu m'aider à sauver ton ami ?

Elle lui montra du doigt Guillemot, sur la table.

Ambre se retourna : l'Apprenti Sorcier était parcouru de tremblements, et tressaillait à chaque mot que l'Ombre prononçait. Les larmes lui vinrent de nouveau aux yeux en imaginant ce qu'il pouvait endurer.

– Le Grand Prêtre de Bohor puise en lui la force dont il a besoin pour vaincre la résistance du grimoire, continua Kushumaï d'une voix calme.

– Et... et alors ? demanda la jeune fille d'une voix tremblante.

– Ton ami est en train de mourir. Et toi seule peux lui venir en aide...

– Mais comment ? Dites-le-moi, je vous en prie !

– En me laissant faire. En t'abandonnant à moi, petite Hamingja ! Mais cela risque d'être douloureux, je te préviens.

– Ce n'est pas grave, dit Ambre en ravalant ses larmes. Je suis prête à tout, pourvu que Guillemot vive.

– Je m'y attendais. Tu es courageuse, je le sais. Je l'ai toujours su…

La Sorcière ferma les yeux et se mit à fredonner une mélopée remplie de Graphèmes. De l'autre côté de la barrière, Ambre poussa un cri rauque et renversa la tête en arrière. Ses yeux se révulsèrent et devinrent blancs. Un grondement sourd sortit de sa gorge. Elle posa lourdement ses deux mains à plat contre le mur d'énergie.

Au contact des paumes de la jeune fille, le mur commença à se craqueler. De grosses gouttes de sueur coulaient le long de son visage. Elle grondait toujours, et ce grondement devenait, minute après minute, un peu plus inhumain.

– C'est la première fois que j'assiste à un tel phénomène ! s'exclama Gérald.

– Quelque chose m'échappe, avoua Qadwan qui avait repris quelques forces. Visiblement, Kushumaï a ensorcelé cette jeune fille et en a fait une Hamingja, une créature soumise à sa volonté. Pourtant, c'est la première fois qu'elles se voient !

– Je n'en suis pas si sûr que ça…, intervint Qadehar, d'un air songeur. Vous n'avez pas remarqué l'expression d'Ambre, quand elle a vu Kushumaï ? On aurait dit qu'elle l'avait déjà rencontrée. Ambre est revenue de son dernier séjour dans le Monde Incertain avec de terribles migraines. J'avais mis cela sur le compte du voyage, mais…

– … mais c'est le symptôme le plus flagrant d'un sort de conditionnement ! poursuivit Qadwan.

– Oui, et je me rappelle que le dernier séjour d'Ambre dans le Monde Incertain a de nombreux trous, comme des oublis, ajouta Qadehar.

– Pertes de mémoire, autre caractéristique de ce phénomène, conclut le vieux Sorcier.

Autour de ses mains qu'Ambre tenait collées contre la barrière d'énergie, des lézardes apparaissaient maintenant clairement. Kushumaï, les yeux toujours fermés, haletait en chantonnant les mots magiques qui la maintenaient en contact avec la jeune fille. Soudain, Ambre vacilla et tomba à genoux, sans cesser cependant de toucher la paroi. Elle tremblait, et semblait épuisée.

– Non, gémit Kushumaï, non ! Encore un effort, petite ! Nous y sommes presque !

Coralie vit sa sœur s'écrouler contre le mur invisible. Sans réfléchir, elle se précipita et, pour la soutenir, se serra contre elle.

– Ambre ? Tu vas bien ? Qu'est-ce qu'elle te fait ?

Mais Ambre était bien en peine de lui répondre. Elle frissonnait atrocement, comme sous l'emprise de terribles fièvres. Coralie allait la tirer par les épaules et l'allonger sur le sol, quand elle sentit une brûlure l'envahir. Elle ouvrit la bouche et cria de surprise autant que de douleur. En même temps, Ambre sembla aller mieux. Le mur recommença à se fissurer autour de ses mains.

– Que se passe-t-il ? s'étonna Gérald depuis l'autre côté de la paroi magique.

– Un phénomène rarissime, si je ne me trompe pas, répondit Qadehar. Sans le savoir, Coralie est en train de transmettre des forces à sa sœur jumelle, au bord de l'épuisement.

– Ça peut-être dangereux ? s'inquiéta Qadwan.

– Oui, avoua brutalement Qadehar. Mais, quoi qu'il en soit, Ambre serait certainement en train de mourir si Coralie ne lui était pas venue en aide…

Coralie en effet sentait la vie s'échapper de son corps et entrer dans celui de sa sœur. Dans le même temps, elle se rendit compte qu'Ambre tremblait moins. Elle en conclut qu'elle lui faisait du bien, et cela l'aida à mieux accepter la souffrance, insupportable sur son visage et sur toute la surface de son corps. Instinctivement, elle regarda son avant-bras. Là, où quelques instants plus tôt, se trouvait une peau douce et joliment bronzée, n'existait plus qu'une chair tuméfiée, couverte de plaies et de pustules répugnantes...

Prise d'affolement, elle porta une main à son visage, son adorable visage de poupée qui provoquait tant d'émois parmi les garçons. Ce qu'elle toucha n'avait plus rien de commun avec celui qu'elle connaissait. Ses doigts se tachèrent du sang qui perlait sur la chair à vif... Elle hurla. Ce n'était pas possible ! Cela devait s'arrêter, avant qu'elle soit complètement défigurée !

Elle s'écarta de sa sœur et, aussitôt, la douleur s'atténua. Mais Ambre recommença à trembler de plus belle, et le grondement animal qui jaillissait de ses lèvres devint aussi plaintif que celui d'une bête blessée.

En entendant son geignement, Coralie se mit à pleurer doucement. Ambre allait-elle mourir ? Elle s'approcha et, de nouveau, prit sa sœur dans ses bras, et la serra de toutes ses forces, de toute son affection, de tout son amour. Qu'importait son visage si Ambre n'était plus jamais là pour la regarder ?

Qadehar, Gérald et Qadwan avaient la gorge serrée, ils restaient silencieux et graves. Seules les incantations de l'Ombre qui, concentrée sur son terrifiant rituel, appelait les pouvoirs de Guillemot à ouvrir le grimoire, et celles de Kushumaï, qui sollicitait ceux d'Ambre pour abattre le mur d'énergie, déchiraient le silence.

Soudain, dans un fracas de verre brisé, un pan entier de la paroi magique s'écroula, libérant l'accès au laboratoire. Ambre, Coralie et Kushumaï s'effondrèrent au même moment sur le sol, épuisées et sans connaissance. Qadehar et Gérald se précipitèrent en avant.

– Occupe-toi d'elles, Gérald ! dit Qadehar.

Puis il fit face à l'Ombre.

L'Ombre avait poussé un cri de rage en entendant le mur céder. C'était beaucoup trop tôt ! Elle les avait bien vus s'acharner contre la protection magique, mais elle l'avait imaginée plus solide, et pensait avoir le temps d'achever le rituel ! Ils lui gâchaient tous ses efforts... Qu'ils soient maudits !

L'Ombre prit le *Livre des Étoiles* dans une main, et emmena Guillemot, encore trop faible pour marcher. Elle fit mine de s'enfuir.

– Halte ! intima Qadehar. Qui que tu sois, homme, femme ou démon, je t'ordonne de me rendre l'enfant et le grimoire !

– Voyons..., ricana l'Ombre. Tu espères me vaincre... misérable Sorcier...

Avec un cri de rage, Qadehar projeta un *Thursaz* Incertain contre elle. L'Ombre arrêta le Graphème et le fit disparaître dans un pli de son grand manteau de ténèbres, aussi facilement que s'il s'était agi d'un simple caillou. Qadehar enchaîna en élaborant à toute vitesse un *Lokk* autour du Graphème de l'immobilisation, *Ingwaz* ; son sortilège disparut de la même manière. Derrière lui, Gérald et Qadwan échangèrent un rapide coup d'œil.

– Vite ! lança Gérald en abandonnant à regret les filles évanouies. Il faut venir en aide à Qadehar ! Prêt pour l'*Insigil du Lindorm* ?

– Je suis prêt.

La voix de Qadwan avait tremblé...

35

LE SORTILÈGE DU DRAGON

Jamais de sa vie Qadehar n'avait eu à affronter un adversaire aussi puissant. Non seulement les sortilèges qu'il envoyait sur l'Ombre restaient sans effet, mais il devait en plus utiliser toute sa science pour contrer ceux qu'elle lui lançait.

De son côté, l'Ombre était gênée par Guillemot qu'elle devait soutenir.

Voir ainsi, en partie caché sous le manteau de ténèbres, le garçon à la merci de son terrible adversaire renforça la détermination du Sorcier. Jamais il ne renoncerait ! Il n'abandonnerait pas encore une fois son Apprenti.

– Laisse partir le garçon ! hurla-t-il. Réglons ça entre nous !

L'Ombre ricana et lança une formule qui roussit la joue de Qadehar.

Pendant ce temps, Qadwan et Gérald préparaient le sortilège redoutable de l'*Insigil du Lindorm*.

Lorsqu'ils eurent chacun dans leur tête élaboré le sort complexe, ils échangèrent un nouveau regard. Puis ils se prirent par la main. Ils invoquèrent ensuite la puissance du Dragon :

– *Laukaz, Isaz, Naudhiz, Dagaz, Odala, Raidhu, Mannaz, Mer et Glace et Main, Lumière du jour, Terres possédées, Chariot du soleil éclairant l'Ancêtre, Talisman, Thurses, Skadi, Cavaliers, Aigles, Nerthus et Mani, faites croître, éveillez et guidez, protégez des esprits, affranchissez des lieux infranchissables, que l'énergie en spirale établisse le lien avec les Puissances ! Disparaissez et laissez la place au Dragon de la Terre, pour qu'il nous débarrasse de l'Être de Ténèbres ! LINDORM !*

Au début, il ne se passa rien. Puis le sol commença à trembler devant les Sorciers qui attendaient, le cœur battant. Dans un grondement sourd, la poussière se souleva et se mit à tourbillonner, de plus en plus rapidement, jusqu'à former un serpent qui devint vite gigantesque. Dès qu'il fut entier, il s'éclaira brutalement de l'intérieur, se transformant en ectoplasme de lumière. Une gueule monstrueuse apparut à une extrémité, surmontée par deux yeux froids comme de la glace. Les combattants se figèrent. La créature fantomatique feula, et son cri pétrifia tout le monde d'horreur. L'Ombre elle-même blêmit. Le dragon hésita. Il promena son regard infernal sur les deux Sorciers qui avaient osé l'appeler, et qui eux-mêmes restaient glacés d'effroi. Il paraissait furieux. Puis, subitement, il se dirigea vers la lucarne et disparut à l'extérieur...

La bataille faisait toujours rage aux abords de l'entrée de la ville. L'arrivée des guerriers des steppes avait rétabli l'équilibre entre les forces en présence, un équilibre menacé un moment plus tôt par l'irruption soudaine et furieuse du Commandant Thunku, accompagné d'une cinquantaine d'Orks plus puissants et mieux entraînés que les autres. Hommes de l'Ouest et brigands avaient payé un lourd tribut à l'affrontement, et ils restaient peu nombreux à se battre, préférant soigner leurs blessés et laisser faire leurs alliés dont la guerre était le métier.

Les Chasseurs de l'Irtych Violet, rompus aux techniques de chasse, tenaient très honorablement leur place dans la bataille. Les Chevaliers faisaient honneur à leur réputation de combattants hors du commun, et les monstres qui les affrontaient recevaient plus de coups qu'ils n'en donnaient. Les guerriers des steppes s'étaient réservé les Orks d'élite de Thunku, et avaient enfin trouvé des adversaires à leur mesure. Pendant ce temps, embusqués dans les maisons proches, les Hommes des Sables continuaient de viser les prêtres tandis que les Korrigans s'amusaient beaucoup à contrer les sorts qui étaient lancés depuis les remparts sur l'armée des Collines.

Mais, dominant l'affrontement, deux hommes surtout attiraient l'attention et provoquaient des murmures d'admiration et d'envie chez tous les combattants.

Semblable à un dieu de la Guerre avec sa grande épée, ses vêtements de métal et de cuir rouges de sang, Tofann parait et fendait, évitait et écrasait, bloquait et brisait, au milieu des hurlements de rage et de douleur.

Non loin, tel un titan déchaîné, l'armure turquoise cabossée et une hache gigantesque étincelant sous le soleil, Urien de Troïl renversait ses adversaires comme un bûcheron abat les arbres d'une forêt. L'écume aux lèvres, les yeux écarquillés, la barbe grise trempée de sueur, le vieux Chevalier rendait un dernier hommage à Valentin...

Soudain, un Ork désigna en grognant de surprise le sommet de la tour qui se dressait au centre de Yénibohor. L'espace d'un instant, chacun put voir un énorme serpent de lumière grimper vers le ciel, s'arrêter net et pousser un grondement douloureux, puis redescendre à toute vitesse et s'engouffrer par une fenêtre.

La disparition du dragon ne dura que quelques secondes. Lorsqu'il revint dans la pièce qu'il venait de quitter, il s'immobilisa, se cabra, ouvrit grand la gueule et feula encore. Puis il bondit sur l'Ombre qu'il traversa de part en part.

L'Ombre poussa un cri et s'affaissa, laissant choir Guillemot et le grimoire sur le sol. Mais elle se releva en titubant : elle était encore vivante !

Le dragon parut surpris. Il darda son regard de glace sur la silhouette étrange qui aurait dû mourir. Il ne comprenait pas. Il avait été mis au monde pour prendre une vie. Celle-là se refusait à lui. Il se tourna une nouvelle fois vers les Sorciers qui l'avaient appelé. Il regarda le vieil homme, et découvrit de la peur dans ses yeux. Celui-ci ferait l'affaire. Dehors, où il avait essayé de fuir ses nouveaux maîtres, le dragon avait été blessé par la lumière du jour. Le Néant était plus reposant. Pour y retourner, il devait d'abord accomplir, d'une manière ou d'une autre, la mission qu'on lui avait confiée... Il frappa donc comme l'éclair et disparut aussitôt dans une gerbe d'étincelles dorées.

– Qadwan ! hurla Gérald.

Le Sorcier avait vu, impuissant, le Dragon de la Terre se jeter sur son vieil ami. Qadehar l'avait devancé : il s'était précipité et avait reçu Qadwan dans ses bras. Le vieil homme n'avait pas souffert. Il était mort instantanément. Il était parti avec le dragon. Son visage, détendu, souriait. Qadehar posa doucement le corps sur la pierre froide. Et tous les regards convergèrent en direction de l'Ombre.

Elle avait survécu à l'attaque de l'*Insigil du Lindorm*. C'était exceptionnel. De mémoire de Sorcier, c'était la première fois que quelqu'un échappait au Dragon ! Mais toute résistance avait un prix, et l'Ombre était sortie considérablement affaiblie de l'inhumaine confrontation. Elle chancela encore. Le manteau de ténèbres qui la couvrait et la dissimulait s'effilocha. Le déguisement d'ombre mourut lambeau après lambeau sur le sol, en grésillant.

Lorsque l'Ombre apparut sous son véritable visage, les Sorciers poussèrent un cri de surprise...

– Vous croyez avoir triomphé ? Vous êtes venus à bout de l'Ombre, mais vous ne m'avez pas encore vaincu !

Drapé dans le manteau sombre de la Guilde, un vieillard qui n'était plus ni faible ni voûté dardait le regard vif de quelqu'un qui n'avait jamais été aveugle sur les Sorciers stupéfaits. Son ricanement, que n'interrompit aucune quinte de toux, les tira de leur torpeur.

– Charfalaq !

L'Ombre venait bel et bien de laisser place au Grand Mage de Gifdu.

36
DES VÉRITÉS DERRIÈRE
LE MANTEAU DE TÉNÈBRES

Le Seigneur Sha était enfin venu à bout des prêtres accourus en renfort. Aucun n'avait franchi la porte de la tour. Il les avait combattus sans relâche, sortilèges contre maléfices, Graphèmes contre formules ténébreuses. Et il les avait vaincus, les uns après les autres.

Essoufflé, fatigué par les efforts qu'il avait dû fournir, il emprunta l'escalier et déboucha dans le laboratoire de l'Ombre.

La première chose qu'il vit, ce furent les corps inanimés de Kushumaï et des deux filles. Il distingua ensuite Qadwan, gisant lui aussi sur le sol, puis Gérald et Qadehar qui faisaient face à un vieillard qui ne lui était pas inconnu.

« L'Ombre... c'était donc lui ? » s'étonna Yorwan en lui-même, tout en rejoignant ses amis Sorciers

Gérald s'adressa à Charfalaq, les larmes aux yeux :

– Mais enfin, Maître... pourquoi ? Pourquoi ?

Le vieillard toisa le Sorcier informaticien avec dédain.

– Pour ne surtout pas être comme toi, avec sans autre ambition qu'épousseter des ordinateurs !

La colère empourpra les joues de Gérald, mais il n'ajouta rien. L'Ombre, ou plutôt Charfalaq, essayait de les troubler, de les démobiliser en les mettant en colère. Il ne fallait pas entrer dans son jeu.

Le Grand Mage se tourna ensuite vers le Seigneur Sha.

– Tiens ! Yorwan, jeune Sorcier brillant et prometteur, trop tôt parti de Gifdu ! Tu as manqué la bataille, dirait-on. C'est une spécialité, chez toi, la désertion ! Dis-moi, maintenant que nous en sommes aux confidences : qu'est-ce qui t'a poussé à t'enfuir avec *Le Livre des Étoiles* ?

– Un appel au secours, que le Livre a lui-même envoyé, répondit Yorwan qui, saisissant l'occasion pour se justifier définitivement devant ses compagnons, ne releva pas les insinuations insultantes de Charfalaq. Je suppose que vous avez essayé de déchiffrer les pages interdites : vous avez, sans le savoir, déclenché une alarme magique qui a averti les gens de l'Ours d'un danger. J'étais depuis peu le correspondant de cette très vieille société à Ys. C'est à moi que l'on a confié le soin de mettre le grimoire en sûreté. La menace était diffuse, le Livre n'avait rien transmis de précis. J'ai cependant choisi, pour ne pas prendre de risque, de m'exiler dans le coin le plus perdu du Monde Incertain...

– Comme c'est touchant ! ricana Charfalaq. Moi qui croyais, comme cet imbécile d'Urien, que tu avais fui ton mariage avec cette sotte d'Alicia !

Gérald calma Yorwan en posant une main sur son épaule. Il ne fallait surtout pas répondre aux provocations du vieillard retors !

Le Grand Mage tenta sa chance avec Qadehar :

– Et toi, Qadehar, le plus grand Sorcier que la Guilde ait jamais eu en son sein ! Si franc, si droit, si honnête ! Cela a dû te faire mal, d'être désigné comme un traître !

– C'est vous qui avez monté cette sombre histoire. gronda-t-il. Vous qui avez organisé l'embuscade, avec Thunku, devant Djaghataël ! Vous qui m'avez nommé chef de l'expédition, pour pouvoir m'en attribuer l'échec si j'en réchappais. Soyez maudit ! Vous avez envoyé tous les Sorciers qui m'accompagnaient à une mort certaine !

– J'avoue que mon plan était bien ficelé. Il me manquait deux choses : *Le Livre des Étoiles*, que le Seigneur Sha m'avait enlevé et dont il ne se séparait jamais, et Guillemot, ce fameux gamin aux grands pouvoirs dont parlait le grimoire, et que j'ai cherché si longtemps dans le Monde Incertain où il était écrit qu'il se trouvait, alors qu'en réalité il était à Ys, sous mes yeux ! En t'envoyant, Qadehar, dans un guet-apens en compagnie des meilleurs Sorciers de la Guilde, j'isolais Guillemot. En prévenant par l'intermédiaire d'une lettre anonyme le Seigneur Sha qu'un enfant qui pouvait être son fils se trouvait seul à Gifdu, je l'éloignais du grimoire. J'ai pu ainsi récupérer la première pièce de mon jeu. Quant à la seconde, bien qu'elle m'ait donné du fil à retordre, j'ai quand même fini par mettre la main dessus !

Tout en parlant, Charfalaq s'était rapproché du Livre et du garçon. Trop occupés à l'écouter, les Sorciers ne s'en rendirent pas compte.

– Mais pourquoi ? répéta Gérald qui avait du mal à accepter la terrible vérité. Pourquoi ? Cela n'était-il pas suffisant d'être le Maître de la Guilde, l'un des hommes les plus influents et les plus respectés d'Ys ?

– Tu te trompes, Gérald : je suis le seul personnage puissant d'Ys ! se vanta Charfalaq. Et cela grâce aux expéditions de l'Ombre – c'est-à-dire de moi-même ! – qui, en entretenant la peur des populations, a permis à la Guilde d'obtenir des prérogatives de plus en plus importantes, au détriment de la Confrérie des Chevaliers. Je suis également le véritable maître du Monde Incertain sur lequel je règne, grâce à mes prêtres, en inspirant la terreur...

– Tu paieras pour cela aussi ! menaça Qadehar.

Mais Charfalaq, avec une rapidité et une vigueur que son apparence ne laissait pas soupçonner, s'empara du Livre et agrippa le garçon restés à terre.

– Si tu approches, je le tue ! menaça-t-il d'une voix calme.

Qadehar s'arrêta net.

– Voilà qui est sage, commenta ironiquement le Grand Mage. J'ai en effet besoin de ce garçon pour ouvrir les dernières pages du Livre, et découvrir les sortilèges qui m'aideront à ajuster les Graphèmes au ciel du Monde Certain. Lorsque cela sera accompli, la magie ayant pris place dans l'ensemble du multivers, plus rien ne m'empêchera d'étendre mon pouvoir à l'infini et de régner en maître absolu sur les Trois Mondes !

– Je t'en empêcherai ! gronda encore Qadehar en serrant les poings.

– Oh non, tu ne feras rien ! Tu ne voudrais tout de même pas que je fasse du mal à ton fils ?

Il y eut un temps de stupeur dans le laboratoire. Personne n'en croyait ses oreilles...

– Tiens ? ironisa le vieillard. Tu ne le savais pas ! Ou tu ne voulais pas le savoir... Tss tss ! Tu n'as jamais eu la curiosité d'aller voir dans son esprit ? Je ne te blâme pas : j'ai dû moi-même attendre, avant de pouvoir fouiller dans son crâne, que les Graphèmes s'assoupissent. Mais quand même, notre époque produit décidément de bien mauvais pères ! À commencer par toi, Yorwan, qui protège tendrement un grimoire mais qui abandonne ton enfant dans les sables du désert...

– Tu mens ! cria Qadehar.

– Que veux-tu dire, maudit vieillard ? s'étonna douloureusement Yorwan.

– Demandez donc à la Chasseresse !

En entretenant la conversation et en captivant l'intérêt des Sorciers, Charfalaq avait réussi à s'approcher d'une large pierre, différente de celles qui constituaient le dallage de la pièce. Elle était couverte de signes, profondément gravés. Qadehar comprit enfin le danger. Il bondit en avant, mais trop tard. Charfalaq prononça quelques mots et disparut instantanément, emmenant avec lui Guillemot et *Le Livre des Étoiles.*

– Un sortilège de délocalisation ! gémit Gérald en comprenant brusquement l'habile manœuvre du Grand Mage.

– Il peut être n'importe où, annonça Yorwan.

– Cela va être très difficile de suivre leur trace, soupira Qadehar, accablé.

Un silence profond, plein de désespoir et d'une résignation soudaine, envahit la pièce. Tout était fini, ils le savaient : ils avaient joué, et ils avaient perdu...

Au même moment, haletant, soufflant, Romaric, Gontrand, Bertram et Kyle firent brusquement irruption dans le laboratoire.

– Que s'est-il passé ? demanda Bertram.

– Guillemot ! Où est Guillemot ? cria Romaric.

Les Sorciers effondrés n'eurent pas besoin de prononcer une seule parole : un simple coup d'œil alentour révéla aux jeunes gens toute l'étendue du désastre.

37
LE TEMPLE

Le Grand Mage se matérialisa avec Guillemot et *Le Livre des Étoiles* dans une pièce beaucoup plus vaste que celle qu'ils venaient de quitter. Les murs jaunâtres étaient tendus de tapisseries brodées évoquant des scènes de la vie du terrible démon Bohor. Des lampes à huile, sur pied, diffusaient une lumière orange et, dans un coin, sur un guéridon étaient disposés des objets de culte. Le sortilège de délocalisation les avait conduits jusque dans un temple de Bohor, à Yâdigâr plus précisément. Charfalaq se félicitait d'avoir eu la bonne idée de graver le sortilège sur une dalle de son laboratoire. Un sourire de satisfaction flotta sur ses lèvres. Il se félicitait surtout d'avoir su imposer le fidèle Lomgo, sous des identités différentes, auprès des puissants du Monde Incertain : conseiller du Commandant Thunku, majordome du Seigneur Sha... Grâce à cela, il avait finalement pu récupérer le précieux grimoire à Djaghataël. Et si les tentatives de Thunku pour enlever Guillemot à Ys avaient échoué les unes après les autres, c'est quand même grâce à ce Thunku qu'il se trouvait aujourd'hui en sûreté dans la bonne ville de Yâdigâr ! Le Grand Mage fronça un instant les sourcils : où était passé Lomgo, d'ailleurs ? Il ne l'avait plus vu depuis que ces idiots avaient osé attaquer Yénibohor ! Il haussa les épaules. Désormais, plus rien n'avait d'importance, hormis le

Livre et ce garçon qui allait lui en donner l'accès. Il serait bientôt le maître, le maître des Trois Mondes !

Il prit le temps de donner à boire à Guillemot quelques gorgées de liqueur de vie, puis l'entraîna au-dehors.

La ville était déserte. Seuls quelques groupes de soudards éméchés déambulaient dans les rues. L'armée d'Orks de Thunku était tout entière en ce moment même à Yénibohor, ainsi que les prêtres qui servaient habituellement le temple. Le Grand Mage emprunta l'escalier extérieur qui conduisait au sommet du temple en forme de pyramide.

Guillemot fut une nouvelle fois revigoré par la potion du Mage. Après l'épisode de l'horrible tortue, il s'était pour ainsi dire déconnecté du monde environnant, et il avait mis du temps à émerger, sur le sol froid de sa cellule d'abord, puis sur la surface dure d'une table, au milieu d'un laboratoire. Le souvenir de la tortue l'épouvanta. À côté, l'Ombre semblait presque un joyeux compagnon ! Enfin, l'Ombre... le Grand Mage, plutôt ! Il n'avait jamais très bien senti ce vieillard, qui l'avait effrayé dès leur première rencontre à Ys, dans le palais du Prévost. Cette impression s'était ensuite renforcée, après qu'il eut surpris sa conversation avec Maître Qadehar, conversation qui l'avait poussé à s'évader de Gifdu... Quel menteur, quel hypocrite ! Cet homme, que tout le monde respectait à défaut de l'aimer, jouait la comédie en boitillant et en crachotant comme un souffreteux. En faisant semblant d'être à moitié aveugle et à moitié sénile ! Pendant que tout le monde le plaignait, et sous prétexte de prendre du repos dans ses appartements du monastère, il disparaissait dans le Monde Incertain et se transformait en l'Ombre, pour terroriser et martyriser les gens.

Guillemot jeta un regard vindicatif au vieil homme parfaitement vigoureux qui grimpait les marches en le tirant derrière lui. Il aurait bien essayé de s'enfuir, mais il savait, en voyant ses propres jambes trembler, qu'il n'irait pas bien loin. Il décida de garder les quelques forces que lui avait rendues la potion pour essayer de tenir tête au Mage, lorsque celui-ci recommencerait le rituel d'ouverture du *Livre des Étoiles*...

Ils débouchèrent sur le toit en terrasse du temple qui dominait une partie de la ville. Guillemot aperçut, au loin, la Route de Pierre et, au-delà, le Désert Vorace où vivait son ami Kyle.

– Guillemot, dit Charfalaq d'une voix presque gaie, puisque te voilà à nouveau conscient et que nous avons davantage de temps pour les politesses, je te le demande une dernière fois : veux-tu, de façon libre et volontaire, m'aider à briser les sorts qui protègent ce grimoire, ou bien devrai-je à nouveau obtenir ton assistance par la contrainte ?

– Vous avez raison, répondit Guillemot en levant le menton d'un air de défi, je suis à nouveau conscient. Essayez donc de me forcer à quoi que ce soit ! Je vous résisterai autant que je le pourrai !

– Tss, tss, s'amusa le Grand Mage. Un jeune coq, voilà ce que tu es ! Un jeune coq qui tente de dissimuler derrière la force de son cri la faiblesse de son corps... Que va bien pouvoir faire le jeune coq contre le vieux renard que je suis ?

Il leva un bras et composa une suite de *Mudras*, ces gestes de la main qui reproduisent, pour les appeler, la forme des Graphèmes. Guillemot s'écroula, terrassé par la magie du Grand Mage. Il essaya vainement d'opposer le pouvoir d'autres Graphèmes au sort qui l'immobilisait et qui le plaquait douloureusement contre le sol. Mais ou bien ceux-ci dormaient peut-être encore en lui, à la suite du dernier assaut insidieux de l'Ombre, ou bien il avait surestimé ses forces : il resta totalement impuissant.

« Maître ! Maître Qadehar ! Je vous en supplie ! se mit-il à prier en lui-même. Ne me laissez pas comme cela ! Je ne veux pas servir d'instrument à la méchanceté du Grand Mage ! S'il vous plaît, ne m'abandonnez pas ! »

Dans son esprit, derrière ses yeux inondés de larmes, l'image de son Maître apparut. C'était une image qu'il aimait entre toutes, où Qadehar lui souriait affectueusement avant de le prendre contre lui dans une étreinte protectrice. Il s'imagina la tête contre son épaule, fermant les yeux, ne pensant plus à rien. Son Maître avait une main posée sur ses cheveux, et lui répétait qu'il était un bon Apprenti, raisonnable. Et sage...

Une montée d'adrénaline tira Guillemot de sa rêverie désespérée. Sage, sagesse... Une idée venait de lui traverser l'esprit. Une idée fulgurante ! Il y avait une chance infime pour que ça marche. Mais c'était la seule, la dernière, l'ultime ! C'était une idée folle. Délicieusement, effroyablement folle ! Cependant, pour la mettre en place, il fallait qu'il retrouve une certaine liberté de mouvement.

– Vous avez gagné ! lança-t-il comme s'il renonçait à lutter. Je n'en peux plus ! Je veux bien vous aider, si vous arrêtez de me faire du mal...

Charfalaq l'observa avec étonnement. Le gamin cédait maintenant, après lui avoir tenu tête pendant des jours ? Que cela signifiait-il ? Il lui porta un regard méfiant. Était-ce une nouvelle ruse de sa part ? Mais devant lui, sous ses yeux, Guillemot souffrait vraiment, et les larmes qui inondaient son visage n'étaient pas feintes. Après tout, le garçon se savait perdu, il n'avait plus d'espoir. Ses amis étaient loin, il ne pouvait plus s'accrocher à l'idée de les voir arriver. Il était finalement logique qu'il abandonne. On ne supporte pas la souffrance sans un motif d'espérance ! Un sourire de triomphe naquit sur les lèvres décharnées du Grand Mage. Si le gosse acceptait d'y mettre du sien, les choses seraient beaucoup plus faciles. D'un geste, il délivra Guillemot du sort qui l'écrasait contre les pierres.

À Yénibohor, la bataille touchait à sa fin. Les Orks, démoralisés de voir les prêtres tomber l'un après l'autre sous les balles des Hommes des Sables et découragés par l'ardeur inépuisable des Chevaliers et des guerriers des steppes, se rendaient par groupes entiers. Ils étaient désarmés et conduits dans les prisons de la cité, qu'ils occupaient enfin à leur tour, après y avoir envoyé tant de malheureux. Les quelques prêtres encore vivants baissèrent eux aussi les bras et, avec une profonde amertume sur le visage, se laissèrent entraver sans un mot.

– Ils doivent se demander pourquoi Bohor, leur démon tout-puissant, n'est pas venu à leur aide ! commenta ironiquement le Luthier qui avait mené les paysans de l'Ouest à la bataille.

– Ils finiront bien par savoir que leur Bohor n'était que l'invention d'un homme, un homme qui se dissimulait lui-même sous l'apparence d'un démon pour commettre des actes qu'un démon n'aurait jamais osé perpétrer, répondit d'une voix faible Kushumaï.

La Chasseresse était sortie de la tour, soutenue par deux Chasseurs.

– Je n'arrive pas à comprendre comment les prêtres ont pu inspirer une telle peur !

– C'est l'esprit et le cœur des gens qui sont eux-mêmes remplis de peurs, dit encore la Chasseresse. Il suffit de donner un visage à ces peurs...

Tofann et le Commandeur s'approchèrent, encore essoufflés par les efforts du combat.

– Ça y est, Kushumaï, annonça le guerrier. Les dernières poches de résistance cèdent peu à peu. Nous contrôlons entièrement la cité.

– Très bien ! se réjouit la jeune femme. Avez-vous mis la main sur Thunku ? Je crois que certains d'entre nous aimeraient lui dire deux mots...

Le Commandeur se rembrunit.

– Hélas, madame, pas de trace de Thunku pour l'instant. Nulle part.

– Bah... Il finira par sortir de son trou lorsque nous passerons Yénibohor au peigne fin.

Tofann leva les yeux vers la tour.

– Comment ça s'est passé, là-haut ?

– Mal, répondit Kushumaï. L'Ombre a réussi à prendre la fuite en emmenant Guillemot et le grimoire. Les jeunes gens présents dans la tour vont bien. En ce moment, Qadehar, Yorwan et Gérald tentent de débloquer le sortilège que l'Ombre a utilisé pour s'échapper. Mais j'ai également une triste nouvelle à vous apprendre : le vieux Sorcier Qadwan n'a pas résisté à l'affrontement...

– L'Archer qui dirigeait les brigands est lui aussi grièvement blessé, annonça le Commandeur en baissant la tête.

– Nous saurons leur rendre hommage lorsque tout cela sera terminé, affirma Tofann, les poings serrés.

– J'espère seulement que cette fin que tu évoques, dit Kushumaï d'une voix sombre, ne sera pas aussi celle de tous ceux que nous aimons...

38

LE POÈME DE SAGESSE

Le Grand Mage ouvrit *Le Livre des Étoiles* qu'il tenait jusque-là sous son bras, et Guillemot, en s'approchant, put enfin le voir de près. C'était un grand livre, de la taille d'un registre d'école mais plus épais. La couverture, souple, était en cuir noir, un cuir que les siècles avaient craquelé et que des générations de mains avaient usé et élimé. Des myriades d'étoiles y semblaient piquetées, et donnaient au grimoire une apparence de vie. À l'intérieur, une écriture appliquée avait tracé sur les pages de papier jaunies par les ans, à l'aide d'une encre bleu nuit, des lignes de signes et de symboles.

Charfalaq cessa de feuilleter l'ouvrage et le garda ouvert aux deux tiers. Il lui était impossible de comprendre les dernières pages ! Le Livre faisait en sorte que le sens lui échappe…

– Puisque tu acceptes d'être mon assistant pour le rituel d'ouverture, il te faudra suivre mes instructions à la lettre.

– Je suis donc votre assistant seulement pour le rituel ? dit Guillemot en faisant semblant d'être déçu et de bouder. Vous me proposiez, si j'ai bonne mémoire, une véritable alliance, et même ensuite de partager votre puissance. Ce sont vos propres mots !

– Oui, oui, d'accord, fit Charfalaq d'un ton agacé. Tiens, tu seras le premier ministre de mon futur empire !

continua-t-il avec le ton de celui qui ne croit pas un mot de ce qu'il dit. Mais, avant toute chose, il faut contraindre le grimoire à nous livrer tous ses secrets. Tiens-toi prêt...

Guillemot fit mine de se satisfaire de la promesse ridicule du Grand Mage et écouta attentivement ses instructions. C'était finalement assez simple : il suffisait, en tenant le Livre et en se concentrant très fort, de répéter les formules que Charfalaq allait réciter.

L'Apprenti posa ses mains sur *Le Livre des Étoiles*. Aussitôt, un fourmillement agréable l'envahit, et il sentit les Graphèmes endormis au fond de lui se réveiller et ronronner.

– Bien ! Je vois aux couleurs que tu es en train de reprendre que le grimoire apprécie ta présence. Tant mieux !

Le Grand Mage commença son incantation. Elle était très longue. Heureusement, il s'arrêtait souvent pour permettre à Guillemot de répéter ce qu'il venait de dire.

Guillemot s'appliquait. Il s'appliquait d'autant plus que les Graphèmes semblaient prendre un grand plaisir à l'étrange rituel en train de s'accomplir. Bientôt, ils furent tous là : *Féhu, Uruz, Thursaz, Ansuz, Raidhu, Kenaz, Gebu, Wunjo, Hagal, Naudhiz, Isaz, Yera, Eihwaz, Perthro, Elhaz, Sowelo, Teiwaz, Berkana, Ehwo, Mannaz, Laukaz, Ingwaz, Dagaz* et *Odala*. Les vingt-quatre Graphèmes de l'alphabet des étoiles étaient tous là dans son ventre, dans sa poitrine, dans sa tête, brillant et vibrant comme jamais. Des Graphèmes que l'enseignement de Maître Qadehar avait semés au plus profond de lui, qui avaient germé et grandi sur l'*Önd* le plus puissant et le plus riche qu'un être humain ait jamais possédé ! Des Graphèmes qui, nourris d'une telle force, étaient presque devenus des entités à part entière, autonomes et capables de substituer leur volonté à celle de celui qui les portait quand cela s'avérait nécessaire ! Aujourd'hui, ils étaient tous au garde-à-vous devant le Livre qui les avait inventés, qui les avait créés...

Pendant que Charfalaq suait à grosses gouttes dans son effort pour conduire le rituel, et tandis que les Graphèmes restaient fascinés par la proximité du grimoire, Guillemot, tout en répétant mécaniquement les mots du Mage, se récitait pour lui seul l'ancien Poème de Sagesse des Apprentis Sorciers auquel son Maître était si attaché :

« Sais-tu comment il faut graver ? Sais-tu comment il faut interpréter ? Sais-tu comment il faut colorer les Graphèmes ? Sais-tu comment il faut éprouver ? Sais-tu comment il faut demander ? Sais-tu comment il faut sacrifier ? Sais-tu comment il faut offrir ? Sais-tu comment il faut projeter ? Mieux vaut ne pas demander que trop sacrifier : un don est toujours récompensé. Mieux vaut ne pas offrir que trop projeter... »

Son Maître n'avait cessé de lui dire qu'un jour il comprendrait le sens de ces phrases. Eh bien, ce jour-là était arrivé ! Il n'aurait su expliquer pourquoi, mais plus il réfléchissait à ces phrases dans lesquelles il avait trouvé nombre de solutions à ses problèmes, plus il était persuadé qu'elles avaient une signification beaucoup plus importante que ce que tout le monde croyait. Ce poème figurait dans le premier chapitre du *Livre des Étoiles,* et faisait immédiatement suite au texte appelé *Le Dit du Crieur,* un texte fondamental qui racontait comment le grimoire avait été créé. Il y avait sûrement une raison à cela : le Livre commençait par donner une clé à qui voulait la prendre ! Et une clé pouvait ouvrir mais tout aussi bien fermer une porte...

À un moment de l'incantation, le grimoire lança un signal d'alarme – à la façon dont il avait fait savoir à la Société de l'Ours qu'il était en danger – et les Graphèmes se troublèrent. Guillemot les sentit qui s'affolaient en lui. Il les apaisa aussitôt, en leur demandant de lui faire confiance. Les Graphèmes se calmèrent.

Soudain, Charfalaq se mit à parler plus vite et plus fort. Guillemot devina qu'il était sur le point d'atteindre le point culminant du rituel. Ce qui signifiait qu'il aurait bientôt réussi... Guillemot ferma les yeux et se joignit à l'exaltation du Mage. Appelés par une force immense, les Graphèmes à l'intérieur de lui se levèrent de nouveau et se pétrifièrent. Guillemot utilisa toutes ses ressources pour empêcher le seizième d'entre eux, *Sowelo*, d'agir de même. Il avait absolument besoin de lui pour mener son plan à bien !

« *Sais-tu comment il faut projeter ? Mieux vaut ne pas offrir que trop projeter... Un don est toujours récompensé !* » se répéta-t-il encore pour se donner du courage.

Lorsqu'il comprit que l'incantation était à son paroxysme, lorsqu'il sentit sous ses doigts le Livre frémir, lorsqu'il vit les Graphèmes devenir incandescents derrière ses paupières, il appela silencieusement *Sowelo*. *Sowelo*, le Graphème du pouvoir et du soleil, du feu terrifiant et des victoires dévastatrices...

« *Par le pouvoir de la Roue et de la Racine, grand nourrisseur, énergie puissante qui brise les barrières, je m'incline devant le sacré et fais appel à ta volonté ! Libère-nous et renvoie chacun à son destin ! SOWELO !* »

Le Graphème bourdonna, se mit à vibrer, puis explosa. Guillemot hurla. Le Grand Mage interrompit l'incantation. Incrédule, les yeux ronds, il vit Guillemot s'illuminer de l'intérieur et prendre feu, un feu de flammes froides. Une colonne de lumière jaillit hors du garçon, qui n'en finissait pas de hurler, et grimpa vers le ciel. Puis le feu se communiqua au *Livre des Étoiles,* et Charfalaq hoqueta d'étonnement. Une deuxième colonne d'énergie fusa des pages du grimoire.

– NOOON !

Mais le Grand Mage n'eut pas le temps de bouger : depuis le Livre, les flammes bondirent sur lui. Il grogna, et son grognement se transforma en un cri de douleur, puis de désespoir, et enfin d'agonie quand naquit une troisième colonne lumineuse qui rejoignit les deux autres en direction des étoiles.

Lorsque, enfin tarie, l'invraisemblable quantité d'énergie magique acheva de se déverser dans l'espace, Guillemot glissa doucement sur le sol. On aurait pu croire qu'il avait une nouvelle fois perdu connaissance, mais son souffle était régulier et ses traits apaisés : il dormait.

Le Livre des Étoiles tomba également par terre, et le vent du soir, en se levant, feuilleta ses pages. À partir des deux tiers de l'ouvrage, elles étaient blanches, complètement vierges, comme si elles n'avaient jamais connu d'encre.

Juste à côté, à l'endroit où quelques instants plus tôt se tenait le Mage Charfalaq, chef de la Guilde et Grand Maître du culte de Bohor, il y avait un tas de poussière, qui disparut peu à peu, balayé par le même vent. Qadehar avait eu raison de dire un jour à son élève que la magie se nourrissait moins de certains corps que certains corps se nourrissaient de la magie ! Les Graphèmes partis, le vieillard s'était effondré, effrité, évanoui...

Au-delà, enfin, dans la nuit qui s'emplissait peu à peu d'étoiles, deux nouvelles constellations se mirent à briller, issues de la magie qui s'était répandue dans le ciel.

39

APRÈS LA BATAILLE

La nuit était tombée sur Yénibohor. Les gémissements des blessés montaient des campements de fortune installés par l'armée des Collines dans la ville conquise. Des hommes fouillaient les maisons dans l'espoir de trouver tables, chaises et même matelas qui amélioreraient le confort de la soirée, après cette rude bataille. On avait entassé dans la prison, pourtant vaste, les prêtres qui avaient échappé aux balles des Hommes des Sables et les Orks rescapés de l'armée de Thunku. Les morts, eux, avaient été allongés côte à côte dans l'avenue, en face de l'entrée de la ville. On entendait bien quelques éclats de rire, près des feux qui commençaient à s'allumer, mais il régnait surtout un sentiment de profonde lassitude.

Romaric, Gontrand, Bertram et Kyle, en découvrant Ambre et Coralie inanimées sur le sol du laboratoire, s'étaient immédiatement portés à leur secours. Elles avaient fini par reprendre connaissance, et Gérald, laissant Qadehar et le Seigneur Sha s'acharner sur le sortilège de fuite emprunté par l'Ombre, vint leur prodiguer quelques paroles réconfortantes. Dès que les filles purent se lever, le Sorcier les raccompagna tous les six en bas de la tour. En chemin, cédant à leur insistance, il finit par leur raconter dans le détail ce qui s'était passé. Puis il confia les jeunes gens à un Chevalier qui les conduisit dans une des maisons proches de la tour.

Ils y retrouvèrent Thomas, allongé sur une paillasse et veillé par Agathe et Toti, assis à ses côtés. Ambre, encore très faible, s'appuyait sur Bertram qui n'aurait laissé ce soin à personne d'autre. Coralie, dont le visage et la peau avaient, à son réveil et à son grand soulagement, retrouvé une apparence normale, était soutenue par Romaric. Deux Chevaliers, répondant aux noms d'Ambor et Bertolen, le visage marqué par la fatigue et l'armure percée de coups, avaient reçu l'ordre exprès du Commandeur et de Kushumaï de rester auprès d'eux et de leur manifester une attention à la fois vigilante et prévenante...

– Comment ça va, Thomas ? demanda gentiment Gontrand en s'approchant du blessé.

– Mon épaule et ma jambe me font atrocement mal, répondit le garçon d'un ton bourru. Mais il paraît que si je les sens encore, c'est bon signe !

– Ce qui est surtout bon signe, c'est que tu sois encore en état de plaisanter, grimaça Agathe qui semblait éprouvée par le rôle d'infirmière qu'elle avait dû, bien malgré elle, endosser.

– Merci, Agathe, d'être restée avec lui, dit Gontrand en posant une main sur son bras.

– C'est Toti qu'il faut remercier, pas moi : c'est lui qui s'est occupé de Thomas.

Agathe, tout en parlant, posa sa main sur celle de Gontrand, qui ne la retira pas.

– Oh, vous savez, ce n'était pas grand-chose, se défendit maladroitement Toti.

– Viens là, Toti, lui lança Kyle. Je suis fier de toi, continua-t-il en le pressant contre lui, avec un peu de rudesse parce qu'il était un garçon du Désert et qu'un garçon du Désert ne devait pas montrer ses émotions. Tu as fait honneur au Monde Incertain !

Ambor et Bertolen se tenaient à l'écart, pour ne pas gêner les retrouvailles de ces enfants qui s'étaient, chacun à sa mesure, comportés dans cette bataille comme de véritables héros.

– Et... Guillemot ? se hasarda à demander Agathe.

– Parti. Emmené par l'Ombre. Les Sorciers n'ont rien pu faire. Ils sont sur sa trace..., répondit Ambre dont le menton tremblait comme si elle allait se mettre à pleurer.

– Allons, Ambre, la réconforta Coralie, tu sais très bien qu'on a fait tout ce qui était possible ! Et toi plus encore que nous.

– Ce n'est pas vrai, hoqueta-t-elle. Moi j'étais ensorcelée, conditionnée par cette femme aux yeux verts ! J'ai fait ce qu'elle voulait que je fasse. Alors que toi, toi Coralie, personne ne t'obligeait à venir m'aider ! Tu as eu très mal, je l'ai senti. Et tu es restée, tu m'as sauvé la vie !

Elle s'effondra en pleurs contre l'épaule de sa sœur et la serra avec force. Coralie lui caressa les cheveux et se mit à pleurer, elle aussi. Personne n'osait rien dire. C'était la première fois que ses amis voyaient Ambre pleurer. Même s'ils n'avaient pas assisté à la scène, dans la tour, ils savaient que Coralie avait montré un courage dont ils n'auraient sans doute jamais été capables eux-mêmes...

Urien de Troïl fit soudain irruption dans la pièce. Il était hirsute, et avait le visage encore tout maculé de sang. Il sentait fortement la sueur. Ambor et Bertolen se levèrent et le saluèrent respectueusement. Le vieux Chevalier s'était battu comme un lion... Urien s'approcha des jeunes gens. Il tapota affectueusement la joue de Romaric, son neveu, puis demanda de sa voix grave :

– Lequel d'entre vous est Toti ?

– C'est moi..., répondit timidement le garçon.

– As-tu un frère que tout le monde surnomme l'Archer et qui commandait la troupe des brigands ?

– Oui. Pour... pourquoi ?

Urien le regarda droit dans les yeux.

– Sois fort, petit. Ton frère est mort. Tombé pendant la bataille. Au champ d'honneur.

Toti baissa la tête. Des larmes perlèrent à ses yeux. Il emboîta le pas à Urien, comme un automate, et quitta la maison. Ses amis, sauf Thomas bien sûr qui fit signe qu'il pouvait très bien rester seul, suivirent le mouvement.

Le corps de l'Archer avait été déposé devant la maison par une dizaine de brigands, à la lueur des torches. Lorsque Toti apparut sur le seuil, ils s'avancèrent tous cérémonieusement et lui serrèrent la main avec gravité. Toti resta un long moment immobile devant son frère étendu. Puis il se jeta contre lui et donna libre cours à son chagrin, en pleurant et en donnant des coups de poing sur la poitrine immobile.

– Tu m'as laissé... tout seul... Tu m'as abandonné... Je suis tout seul maintenant !

– Arrête, petit, dit Urien en le relevant. Ton frère ne reviendra pas. Il faut te montrer digne de son sacrifice.

Toti se calma peu à peu. Il détourna les yeux du corps de l'Archer, s'approcha d'Urien et lui saisit la main. Le vieux Chevalier marqua un temps de surprise.

– Pauvre Toti, murmura Romaric aux autres. On devrait lui dire quelque chose de gentil...

Un remue-ménage empêcha le petit groupe d'aller consoler le malheureux garçon. Trois hommes venaient de sortir de la tour ! L'un d'entre eux avait un enfant dans ses bras...

Lorsque Qadehar, portant Guillemot dans ses bras, suivi de Yorwan et de Gérald, qui tenait serré contre sa poitrine le grand Livre noir constellé, firent leur apparition hors de la tour, une foule nombreuse et hétéroclite se précipita aussitôt à leur rencontre. Les hommes de l'armée des Collines savaient qu'avec les Sorciers se jouait le dernier

acte de cette guerre audacieuse menée contre l'Ombre...
On les accueillit avec des cris de joie et des hourras, car on
devinait que, s'ils étaient vivants, c'était parce que
l'Ombre avait péri. Kushumaï, qui avait repris des forces
et marchait désormais sans l'aide de ses Chasseurs, fut
parmi les premiers à les acclamer.

– Vous avez réussi! dit-elle. Vous avez vaincu le Grand
Mage et vous avez ramené Guillemot! C'est magni-
fique!

– Nous n'avons rien fait, corrigea Gérald. Nous nous
sommes contentés de débloquer le sortilège de délocalisation utilisé par Charfalaq, et de l'emprunter à notre tour.
Nous avons réapparu dans la ville de Yâdigâr, dans un
temple dédié au démon Bohor. Nous avons trouvé Guillemot évanoui au sommet du temple, à côté du *Livre des
Étoiles* et d'un tas de poussière. Aucune trace du Grand
Mage. J'ignore ce qui s'est passé mais, manifestement,
Guillemot a triomphé seul.

Les explications du Sorcier plongèrent chacun dans
l'étonnement.

– L'essentiel, s'exclama Kushumaï, est que ce maudit
vieillard n'ait pas pu accomplir son rituel! Nos deux
mondes, et même le Monde Certain qui ne le saura jamais,
sont à présent sauvés!

– Comment va Guillemot? demanda le Commandeur
qui s'était approché.

– Il est très faible, mais il respire normalement, répondit
Qadehar.

Guillemot!

Bousculant la foule rassemblée devant la tour de
l'Ombre, Ambre, Coralie, Romaric, Gontrand, Bertram,
Agathe et Kyle se précipitèrent vers Qadehar.

Ambre, à la vue de son ami sans connaissance, poussa
un cri déchirant :

– Il est mort! Oh, il est mort! Il est mort!

– Du calme, Ambre ! s'interposa Gérald. Il est vivant, Guillemot est vivant !

Comprenant qu'on lui disait la vérité, Ambre laissa échapper un soupir de soulagement. Elle s'empressa d'aller caresser, d'une main tremblante, la joue du garçon endormi. Celui-ci remua, ouvrit péniblement les yeux, fixa quelque chose devant lui, puis les referma.

– Vous êtes sûrs qu'il va bien ? s'inquiéta Coralie.

– Oui. Il a seulement besoin de repos. De beaucoup de repos.

Ambre semblait plus calme. Elle dévisageait Guillemot avec une curieuse expression sur son visage.

– C'est curieux…, dit-elle d'un air songeur, j'avais oublié qu'il avait les yeux si verts !

Qadehar chercha le regard de Kushumaï.

– Les yeux de sa mère…, murmura-t-il. Il me semble que nous devrions avoir une petite discussion, tous les deux, ajouta-t-il en regardant la Chasseresse.

– Tous les trois, rectifia Yorwan.

Il se tourna vers Kyle. Le jeune garçon leva les yeux vers lui.

– Alors, c'est vrai ce que Gérald m'a dit ? Vous êtes.. je suis…

– Je suis ton père, Kyle, et ta mère, dont tu as le si joli regard, vit au Pays d'Ys. Kushumaï t'a échangé contre Guillemot lorsque tu étais bébé, et t'a confié, si j'ai bien compris, à la gentillesse du Peuple du Désert…

– C'est exact, dit Kushumaï dont la voix se mit à trembler.

À ce moment précis, la Chasseresse n'était plus la guerrière impitoyable, ni même la froide Sorcière que chacun connaissait. L'espace d'un instant, elle apparut telle qu'elle était au plus profond de son cœur : une mère qui, pour mettre son enfant à l'abri, avait dû s'en séparer et voler l'enfant d'une autre mère !

Mais Kushumaï ne tarda pas à se reprendre :

– Chaque chose en son temps. Pour l'heure, il est urgent que Qadehar ramène Guillemot à Ys pour le confier à des médecins. Quant à moi, je dois avoir une discussion avec Ambre. J'ai des excuses à lui présenter.

Elle s'adressa ensuite à Qadehar, avec un étrange sourire aux lèvres :

– Ah... Qadehar, ce n'est pas encore la fête, mais ce moment viendra. Et quand ce temps sera là, ce sera aussi le moment de nous reconstruire ! Tiens-toi prêt...

Puis elle se tourna vers Ambre, qu'elle prit doucement par l'épaule, et l'entraîna à l'écart.

40
RÊVERIES

Guillemot se retourna dans son lit en soupirant. Un mois déjà qu'il occupait cette chambre dans l'hôpital de Dashtikazar! Une chambre agréable, certes, blanc et bleu, pour lui tout seul, avec une fenêtre ouvrant sur la lande et une autre sur la mer, et pleine de fleurs que les infirmières, aux petits soins pour lui, changeaient tous les jours; mais il commençait à se sentir à nouveau en prison!

Lorsque Maître Qadehar, Yorwan et Gérald l'avaient trouvé sur le toit du temple, il était dans un tel état de faiblesse que les médecins avaient attendu avant de prononcer un avis sur son état. Puis, grâce aux soins et à l'attention de chacun, il s'était rétabli doucement, et on ne le gardait plus aujourd'hui à l'hôpital que par précaution. Heureusement, pour occuper ses journées, il pouvait compter sur les visites, si nombreuses que le médecin chef avait dû intervenir et demander au Prévost d'établir une liste des personnes autorisées à se présenter...

– Maît... Papa! s'exclama Guillemot en découvrant Qadehar qui s'était glissé silencieusement dans la chambre.

– Bonjour, fiston, répondit le Sorcier en affichant un grand sourire. Alors, comment va notre héros aujourd'hui?

L'épopée de l'expédition des Chevaliers ainsi que le siège de Yénibohor par l'armée des Collines alimentaient toutes les conversations au Pays d'Ys. Quant au duel qui avait opposé Guillemot à Charfalaq, c'était déjà un mythe ! L'Apprenti Sorcier, qui n'était maintenant plus considéré comme un Apprenti, occupait déjà une place particulière dans le cœur des habitants d'Ys depuis qu'il avait sauvé Agathe des griffes des monstres du Monde Incertain. Aujourd'hui, il était devenu une gloire nationale, et était en passe de devenir un mythe vivant ! Dès les premiers jours, des groupes entiers d'admirateurs s'étaient pressés dans le hall de l'hôpital pour lui témoigner leur gratitude de les avoir libérés de la menace de l'Ombre. Leur reconnaissance était très sympathique, certes, mais éprouvante, aussi. D'autant que Guillemot ressentait un immense besoin de calme et de solitude, pour réfléchir à tous ces événements qui, en si peu de temps, avaient complètement bouleversé sa vie.

– Ne m'appelle pas héros... ce n'est pas drôle ! dit Guillemot.

– Je ne me moque pas, répondit Qadehar en s'approchant et en caressant tendrement la joue de Guillemot, qui s'était redressé dans son lit. Au contraire, je suis très fier de toi ! Autant que ta mère, crois-moi ! Je veux parler d'Alicia...

Le premier choc, bien sûr, avait été de recevoir la confirmation que sa mère n'était pas sa vraie mère.

Cela avait été très douloureux pour Alicia, qui avait sangloté en le serrant interminablement contre elle, en lui répétant qu'il resterait toujours son fils. Il se rappelait l'avoir regardée avec beaucoup de tendresse, et lui avoir dit que, pour lui, rien ne changeait, que sa vie resterait la même, auprès d'elle, à Troïl. Et songeait-il à sa vraie mère ? lui avait-elle demandé, bouleversée. Sa vraie mère...

Sa vraie mère était donc cette femme aux yeux verts, qui avait transformé Ambre en terrible Hamingja, qui vivait au milieu des bêtes sauvages dans une sombre forêt du Monde Incertain et qui commandait aux hommes d'une société secrète ! Ce n'était pas exactement comme cela que Guillemot s'imaginait une maman. Il l'avait dit à Alicia, comme il l'avait timidement avoué à Kushumaï qui était venue le voir, un jour, sur son lit d'hôpital.

Kushumaï lui avait souri, caressé les cheveux, et lui avait répondu qu'elle regrettait que les choses se soient passées ainsi. Qu'elle regrettait d'avoir dû l'abandonner pour le mettre à l'abri dans un monde éloigné de celui des prêtres de Yénibohor, mais que ses responsabilités étaient si importantes, pour tant de gens, qu'elle n'avait pas pu se permettre de se fier à ses sentiments. Qu'elle était déçue mais qu'elle comprenait et acceptait sa décision de rester à Ys, auprès d'Alicia. Qu'il pourrait venir chez elle quand il le voudrait… Guillemot avait répondu qu'il n'y manquerait pas. Il lui promit de profiter des fois où il accompagnerait Alicia voir Kyle, dans le Monde Incertain.

Car Kyle était le véritable fils d'Alicia, celui que Kushumaï avait pris et déposé dans le Désert Vorace. C'était l'enfant qu'Alicia avait eu de Yorwan. L'Ombre n'avait pas menti en le lui révélant, pour l'inciter à quitter Djaghataël. Ce qu'elle ignorait alors, c'est qu'il avait été échangé. Et l'échange à la maternité expliquait que le Seigneur Sha n'avait pas identifié Guillemot, dans les sous-sols de Gifdu. Aujourd'hui, Yorwan avait retrouvé Alicia, son amour de toujours, et le fils qu'il cherchait ! Seule ombre au tableau : Kyle refusait obstinément de venir habiter à Ys. Sa vie à lui était dans le Désert Vorace, parmi les Hommes des Sables. Yorwan, qui connaissait et qui respectait le Peuple du Désert, s'était rapidement fait une raison. D'autant que la communication entre les deux mondes était facile ! Ce fut beaucoup plus dur pour Alicia, qui avait beaucoup pleuré, mais s'était finalement rangée aux arguments du père et du fils. Comme Kyle se réjouissait malgré tout d'avoir retrouvé ses parents, ils convinrent de retrouvailles fréquentes, dans le Monde Incertain pour les solstices, et au Pays d'Ys à l'occasion des équinoxes.

– Je parie que tu vas me dire que tu es juste passé m'embrasser, sans m'embrasser d'ailleurs ! Et que tu as beaucoup de travail, que tu ne peux pas rester...

– Ne m'en veux pas, soupira le Sorcier. En ce moment, tout le monde me réclame, comme si, brusquement, j'étais devenu indispensable ! Je te promets que nous rattraperons le temps perdu plus tard, quand tu seras sorti...

– Ne t'inquiète pas, je ne t'en veux pas, le rassura Guillemot en lui prenant la main. Je te taquine, c'est tout !

Le deuxième choc, donc, qu'avait dû affronter Guillemot à son réveil avait été d'apprendre que son père, ce père qu'il croyait en exil définitif dans le monde réel et qu'il avait tellement désiré, ce père était... Maître Qadehar ! Et on lui avait rapporté que Maître Qadehar avait été autant surpris que lui de l'apprendre ! Kushumaï ne lui avait jamais dit qu'elle attendait un enfant et, comme tous les deux s'étaient rapidement perdus de vue, le Sorcier n'avait eu aucun moyen de le deviner...

Enfin, les rapports qu'entretenaient Qadehar et Guillemot avaient à présent complètement changé. Qadehar pouvait maintenant donner libre cours à son affection pour son Apprenti, et l'attitude du Maître pour son élève était rapidement devenue celle d'un père pour son fils. Cette évolution avait été d'autant plus facile que Guillemot, et c'était là le troisième choc qu'il avait dû subir, ne pouvait plus rester Apprenti Sorcier...

Il avait en effet perdu tous ses pouvoirs. Ses pouvoirs magiques avaient disparu dans les étoiles, lorsqu'il avait déclenché la rupture du rituel...

Il avait mis du temps à accepter que plus aucun Graphème, jamais, ne répondrait à son appel. Il se sentait, tout comme le Seigneur Sha dans le Monde Certain, simplement ordinaire...

— Je t'ai apporté de quoi lire, annonça Qadehar en déposant sur la table de chevet quelques romans d'aventures. Mais tous ces récits doivent te sembler bien fades, maintenant !

— Détrompe-toi ! C'est agréable de découvrir, bien au chaud dans son lit, les aventures extraordinaires qui arrivent aux autres.

— Rétablis-toi vite, dit le Sorcier en prenant congé de son ancien Apprenti. J'ai hâte que nous puissions reprendre nos promenades sur la lande !

Guillemot le regarda, avec de grands yeux implorants. Qadehar eut un sourire maladroit, puis se décida brusquement : il se pencha et embrassa son fils sur le front. Le garçon était ravi.

— Sois sage ! lança le Sorcier en quittant la chambre.

— Toi aussi !

Guillemot regrettait que Qadehar ne lui rende pas plus souvent visite. Il aimait autant rire et se blottir contre Alicia que discuter des heures avec son Sorcier de père. Mais ce dernier avait été élu Grand Mage, à la place de Charfalaq, et il avait énormément de travail, ne quittant Gifdu que trop rarement. Depuis que la partie considérée comme dangereuse du *Livre des Étoiles* s'était effacée, lors de la fameuse nuit sur le toit du temple de Yâdigâr, les rapports entre la Guilde et la Confrérie du Vent s'étaient clarifiés. Qadehar s'efforçait donc d'établir de vrais liens d'amitié et de confiance entre Sorciers et Chevaliers. Il travaillait aussi sur un projet d'installation de monastères dans le Monde Incertain. On racontait d'ailleurs qu'il s'y rendait parfois lui-même, et on se demandait si le premier établissement de la Guilde n'allait pas ouvrir ses portes du côté de l'Irtych Violet...

Guillemot jeta un coup d'œil sur le réveil, posé sur la table de chevet. Il allait bientôt recevoir la visite d'Alicia. Elle venait tous les jours vers midi, seule. Ils déjeunaient ensemble, chacun un plateau sur les genoux. Jamais Guillemot ne s'était senti aussi proche d'elle. Il devinait qu'elle regrettait de ne pas être tout à fait sa mère et, en même temps, elle avait presque honte de la joie qui l'animait d'avoir retrouvé l'homme qu'elle n'avait jamais cessé d'aimer, parti comme un voleur et revenu en héros. Elle tenait à prouver à Guillemot que Kyle ne prendrait jamais sa place dans son cœur. Guillemot tentait de lui faire comprendre qu'elle n'était pas responsable de toutes ces confusions du passé, et qu'elle n'avait rien à se reprocher, puisqu'il y avait toujours une place pour lui. N'était-il pas le plus heureux des garçons ? Kushumaï lui avait ouvert les bras en le laissant libre, il respectait et admirait Yorwan, Alicia l'aimait comme on aime un fils, et son père, enfin, lui avait été rendu...

Il laissa ses pensées vagabonder un moment encore. Le visage de l'Ombre lui revint en mémoire, inquiétant tout d'abord, puis effrayant, pour ensuite prendre les traits du Grand Mage, ricanant, fatigué et terrifié, au moment où la magie qui le tenait encore en vie s'était enfuie vers les étoiles. La figure d'un autre vieillard apparut aussitôt après : celle d'Eusèbe de Gri, qui l'avait enlevé en empruntant l'apparence de Bertram. Qadehar lui avait dit que le Mage de Gri s'était échappé et avait disparu, certainement en fuite dans le Monde Incertain. Mais il l'avait aussitôt rassuré : il n'échapperait pas longtemps aux hommes de Kushumaï ! La Société de l'Ours avait lancé une grande opération pour retrouver le Commandant Thunku et son conseiller, un prêtre dangereux du nom de Lomgo, disparus tous deux pendant le siège de Yénibohor.

Kushumaï... Guillemot se rappelait encore la grimace d'Ambre quand elle lui avait raconté leur discussion, au cours de l'une de ses visites. La Chasseresse s'était longuement expliquée sur l'occasion inespérée qu'Ambre avait alors représentée de servir à protéger Guillemot, cela malgré elle, en tant qu'Hamingja, c'est-à-dire en tant que personne ensorcelée et conditionnée. Kushumaï lui avait présenté des excuses sincères, mais Ambre avait senti qu'elle ne regrettait rien et que, si c'était à refaire, elle recommencerait, sans tenir compte de la douleur qu'elle pouvait ressentir, ni des risques que cela comportait pour sa santé, physique et mentale. Cette capacité à sacrifier sans état d'âme ce qu'elle considérait comme des petites choses pour préserver les grandes avait renforcé l'admiration de son amie pour cette femme décidément hors normes, au-delà du bien et du mal, comme l'était la nature dont elle se réclamait la fille. Mais elle avait aussi provoqué chez Ambre une défiance irrémédiable, et savoir que Kushumaï était la véritable mère de Guillemot la mettait mal à l'aise. «Heureusement, lui avait-elle dit sur un ton moqueur, et avec un clin d'œil, que Qadehar est ton père : il équilibre ton héritage !»

ÉPILOGUE

– Alors, comment va notre cher Guillemot ? s'enquit joyeusement une infirmière en pénétrant dans la chambre, les bras chargés de fleurs en provenance du Monde Incertain.

Guillemot sourit. C'était son infirmière préférée. Toujours de bonne humeur, toujours prête à proférer des bêtises qui le faisaient parfois rougir jusqu'à la racine des cheveux. Et puis, avec ses yeux pétillants et ses cheveux noirs, elle lui rappelait Ambre...

– Je crois que tu as de la visite, continua-t-elle en plaçant le bouquet dans un grand vase.

– Qui est-ce ?

– Je ne sais pas, le taquina-t-elle. Il y a deux filles et deux garçons qui trépignent à l'entrée !

– Oh, tu n'es pas drôle ! se fâcha Guillemot. Dis-leur de venir.

L'infirmière sortit en riant.

Quelques instants plus tard, Romaric, Gontrand, Ambre et Coralie firent irruption dans la chambre.

– Il paraît que tu sors bientôt ? s'exclama Gontrand. C'est génial !

– Il paraît... Bon sang, j'ai hâte !

– Ne te plains pas, veinard ! dit Coralie. Toi au moins, tu n'es pas obligé d'aller à l'école !

– Alors ça y est, c'est décidé ? demanda Gontrand qui venait de l'apprendre. Kyle va rester dans son désert ?

– Oui, répondit Guillemot en triturant son médaillon solaire que le Commandeur avait récupéré sur un Ork à la fin de la bataille. Il va me manquer mais j'ai promis que j'irais le voir chaque fois que je le pourrais...

– Et pour Toti, tu connais la nouvelle ? dit Coralie.

– Toti ? Quoi, quelle nouvelle ?

– Il va venir habiter à Ys, révéla Romaric. L'oncle Urien a décidé de l'adopter. Il trouve que le château de Troïl est bien vide, depuis la disparition de Valentin. Et puisque son frère, l'Archer, est mort pendant la bataille de Yénibohor, Toti n'a plus de famille dans le Monde Incertain.

– Cette adoption est une bonne idée, se réjouit Guille mot. Mais dis-moi, cousin, on nous l'a changé, l'oncle !

– Trans-for-mé ! Tu l'aurais vu, à la grande fête donnée par le Prévost en l'honneur des Chevaliers ! Il a pris Yor-wan dans ses bras, l'a appelé son frère et, avec des san-glots dans la voix, lui a demandé pardon d'avoir pu croire qu'il avait fui alors qu'il avait accompli un acte d'immense courage en sacrifiant son bonheur pour sau-ver celui des autres. C'était très émouvant ! Il a aussi serré contre lui M. de Krakal et M. de Balangru, qui se sont réconciliés depuis que leurs enfants leur ont fait la plus grande honte en combattant ensemble contre l'Ombre, alors qu'eux se disputaient pour des bêtises...

– Et Thomas ? Et Agathe ? Comment vont-ils ?

– Oui, parle-nous un peu d'Agathe, Gontrand, demanda Romaric d'un ton moqueur.

– Elle va très bien, répondit ce dernier en ignorant l'al-lusion. Thomas aussi : son épaule et sa jambe sont presque guéries, et la Confrérie l'a contacté pour qu'il entre à Bromotul à la prochaine rentrée. Cela fera au moins un Écuyer convenable !

– C'est vrai ce que l'on raconte ? plaisanta Romaric.
Agathe et toi préparez un spectacle pour l'été, dans lequel
elle chante des chansons d'amour et toi tu joues de la man-
doline ?

– De la cithare, le reprit Gontrand, imperturbable.

– Arrêtez un peu tous les deux, intervint Guillemot en
riant. Et Bertram, vous avez de ses nouvelles ?

Ses amis échangèrent un regard amusé et Coralie pouffa.

– Tu ne devineras jamais…, commença Romaric. Tu as
su que Bertram était allé demander l'aide des Korrigans,
quand tout le monde essayait d'y mettre du sien pour gros-
sir les rangs de l'armée des Collines ?

– Oui, mon Maîtr… mon père me l'a raconté. Il m'a
même dit que l'aide des vieux magiciens Korrigans avait
été déterminante contre les prêtres.

– Bertram est toujours resté très évasif sur la raison
qui avait poussé le roi des Korrigans à accepter de s'engager contre l'Ombre. Tu veux connaître le fin mot de
l'histoire ?

– Bien sûr ! Arrête de me faire languir !

– En échange de son aide, Bertram a promis à Kor Mehtar de lui servir de bouffon personnel autant de jours que
les magiciens Korrigans seraient absents de Bouléagant !

– Tu veux dire… que Bertram a passé une semaine
entière avec les Korrigans, à devoir faire le pitre et subir les
caprices du roi ? Non ! Mais quelle horreur !

– Cela explique pourquoi il voulait toujours que l'on se
dépêche, à Yénibohor ! comprit brusquement Coralie.

– Depuis cet épisode qui ne s'est en définitive pas trop
mal passé, d'après ce que j'ai entendu dire, termina Romaric, Bertram est dans le Monde Incertain, avec Gérald. Il
l'aide à je ne sais quel travail important pour la Guilde…

– Mon… mon père m'a expliqué, confirma Guillemot,
que lorsque mon énergie magique et celle du grimoire sont
parties dans l'espace, deux nouvelles constellations sont

nées et ont bouleversé la place des autres dans le ciel. Pour que les Graphèmes puissent continuer à fonctionner dans le Monde Incertain, il faut maintenant leur redonner une forme correspondant aux nouveaux dessins des étoiles. C'est un gros travail. Bertram et Gérald ne seront pas trop de deux...

– C'est vrai que c'est toi qui as donné leur nom à ces deux constellations ? s'étonna Coralie.

– Oui. Je les ai appelées constellation du Sorcier et constellation du Chevalier. Pour honorer le sacrifice de Qadwan et de Valentin...

– Ça, c'est vraiment gentil !

– Dis-moi, Guillemot, se rappela soudain Ambre, j'espère que tu n'as pas oublié... Tu dois impérativement être sorti la semaine prochaine. Le Prévost a préparé une fête gigantesque en ton honneur. Il y aura un monde fou ! Tout Ys est convié, ainsi que de nombreuses personnes du Monde Incertain : Hommes de la Mer, des Sables, de l'Ouest, de l'Irtych Violet.

– Rassure-toi. Pour rien au monde je ne manquerai ça !

– Bon, les interrompit Gontrand en regardant sa montre, il faut partir. Si on dépasse l'heure, on n'aura pas le droit de revenir te voir !

– Ah, les lâcheurs, filez ! Et merci d'être passés !

Gontrand franchit la porte en s'amusant à pousser Ambre devant lui. Derrière eux, Romaric et Coralie se prirent la main discrètement, sans savoir que Guillemot les observait avec un sourire amusé.

– Attendez ! s'exclama Ambre dans le couloir en se frappant le front. J'ai oublié quelque chose. Allez-y, je vous rejoins ! lança-t-elle à ses amis en rebroussant chemin.

Elle entra dans la chambre de Guillemot et, d'un pas décidé, s'avança jusqu'au lit du garçon qui la fixait avec un regard étonné.

– J'ai oublié ma veste, dit-elle.

– Mais tu l'as sur le dos !

– Je sais.

Elle se pencha et approcha ses lèvres de celles de Guillemot, interloqué. Mais pas un instant il ne songea à se dérober. Au moment où leurs bouches se touchèrent, ils fermèrent les yeux.

– Je suis drôlement contente que tu t'en sois tiré…

– Oui, moi aussi.

– À demain !

– À demain !

Il regarda son amie partir, le cœur battant à tout rompre.

Le départ du petit groupe lui laissa une impression de vide, qu'il chercha à oublier en s'intéressant aux nombreux cadeaux qui lui avaient été faits et qu'il laissait autour de son lit, comme il le faisait lorsqu'il était plus jeune, après avoir reçu ceux du solstice d'hiver.

Son attention fut attirée par une belle pierre blanche que lui avait donnée Kor Mehtar en personne, lorsqu'il était venu lui rendre visite au sein d'une délégation officielle conduite par le Prévost. La pierre était couverte des signes que les Korrigans appelaient Oghams, et qui étaient les instruments d'une magie en provenance non pas des étoiles, mais de la terre et de la lune. Il tendit le bras et la caressa. Elle était polie et douce. Par jeu, il effleura l'un des Oghams, gravé sur l'arrête.

Puis il laissa aller sa tête contre les oreillers. Il se mordit machinalement les lèvres. Elles avaient encore le goût de celles d'Ambre. Décidément, et même s'il avait repris les pouvoirs magiques qu'il lui avait donnés, *Le Livre des Étoiles* lui avait fait le plus beau des cadeaux en le laissant en vie.

Sur le sol, sans que Guillemot s'en rende compte, l'Ogham qu'il avait caressé se réveilla, et se mit à briller d'une chaude lumière rouge…

TABLE DES MATIÈRES

Erik L'HOMME est né en 1967 à Grenoble.

De son enfance dans la Drôme, où il grandit au contact de la nature, il retire un goût prononcé pour les escapades en tout genre, qu'il partage avec une passion pour les livres.

Une maîtrise d'histoire en poche, il part sur les traces des héros de ses lectures, bourlingueurs et poètes, à la conquête de pays lointains.

Ses pas le mèneront vers les montagnes d'Asie centrale, sur la piste de l'Homme Sauvage, jusqu'aux Philippines, à la recherche d'un trésor fabuleux. Il publie son premier livre sur la langue et la culture d'un très ancien peuple vivant entre Pakistan et Afghanistan aux éditions de l'Harmattan.

Aujourd'hui, de retour en Drôme provençale, il partage son temps entre le journalisme (il dirige notamment le magazine des *Jeunes pour la Nature*), les longues marches et l'écriture de ses romans.

Le Livre des Étoiles est son premier roman pour la jeunesse. En 2001, Erik L'Homme a reçu, pour *Qadehar le Sorcier*, le premier tome de la trilogie, le Prix Jeunesse du Festival International de Géographie de Saint-Dié-des-Vosges, et en 2002, le prix des Collégiens du Var pour *Le Seigneur Sha*.

Loi n°49-956
du 16 juillet 1949
sur les publications
destinées à la jeunesse

Mise en page : Françoise Pham

ISBN 2-07-055271-3
Numéro d'édition : 124352
Numéro d'impression : 63485
Imprimé en France
sur les presses de la Société
Nouvelle Firmin-Didot
Premier dépôt légal : mars 2003
Dépôt légal : mars 2003